DICTIONNAIRE ACTUEL
DES RÊVES

C.P. 325, Succursale Rosemont
Montréal (Québec), Canada H1X 3B8
Téléphone: (514) 522-2244
Télécopieur: (514) 522-6301
Courrier électronique: pnadeau@edimag.com

Éditeur: Pierre Nadeau
Illustrations: Ben Laurin
Mise en pages et couverture: Jean-François Gosselin
Photographie de l'auteur: René Robitaille
Maquillage et coiffure: Macha Colas

Dépôt légal: quatrième trimestre 1997
Bibliothèque nationale du Québec
Bibliothèque nationale du Canada

© Édimag inc., 1997
Tous droits réservés pour tous pays
ISBN: 2-921735-48-2

DICTIONNAIRE ACTUEL

DES RÊVES

COMMENT LES INTERPRÉTER

BEN LAURIN

Édimag inc. est membre de l'Association nationale des éditeurs de livres.

DISTRIBUTEURS EXCLUSIFS

Pour le Canada et les États-Unis
Les Messageries **adp**
955, rue Amherst
Montréal (Québec) H2L 3K4
Téléphone: (514) 523-1182
Télécopieur: (514) 939-0406

Pour la Suisse
Transat S.A.
Route des Jeunes, 4 Ter
C.P. 1210
1 211 Genève 26
Téléphone: (41-22) 342-77-40
Télécopieur: (41-22) 343-46-46

Pour la France et la Belgique:
Dilisco Diffusion
122, rue Marcel Hartmann
94200 Ivry sur Seine
Téléphone: (1) 49-59-50-50
Télécopieur: (1) 46-71-05-06

SOMMAIRE

RÊVE DE LA NUIT

Rêve de la nuit
Montre-moi qui je suis
Agite mes paupières
Et délivre-moi de tous mystères

Rêve de la nuit
Préviens-moi des ennuis
Ne reste pas inexploré
Mais ne me soumets-pas à la tentation
Car, en devenir obsédé,
Pourrait me faire perdre la raison

Rêve de la nuit
Assure-moi de mes envies
Raconte-moi l'histoire
Qui pourrait sans doute changer ma vie

Rêve de la nuit
Je trouverai qui je suis
Car tes messages éclaireront mon passage

INTRODUCTION

Chers lecteurs,

On a comparé le rêve à une porte entrouverte dissimulant de l'autre côté de mystérieux messages sous formes de symboles ou d'images trompeuses. Mais, attention, les rêves ne sont pas nécessairement trompeurs.Le rêve n'est qu'une porte qui ne demande qu'à s'ouvrir amplement, afin d'explorer les douceurs de l'espérance d'un meilleur sort, qui parfois même peut encore préoccuper notre conscience au réveil. Sans contre-dit, le rêve reste un moyen original de réaliser nos désirs.

De tout temps, les hommes ont été intrigués par leurs rêves. Malgré de nombreuses recherches, les rêves restent sur bien des points un mystère que Freud (professeur de médecine à Vienne) a certes cherché à éclaircir.

Cet ouvrage est le fruit de plusieurs années de recherche et d'expériences personnelles. Il a pour objet de permettre à chacun de démasquer ses propres rêves et ainsi, peut-être, améliorer sa vie.

LES QUATRE ÉTAPES DU SOMMEIL

Le sommeil est une nécessité. Tous les adultes normaux doivent dormir aux moins huit heures par nuit. Il a été prouvé clairement que le sommeil comporte quatre étapes, lesquelles se reproduisent toujours dans le même ordre.

En dormant, les paupières maintiennent nos yeux fermés, notre activité musculaire est limitée à 30 secondes par heure. Certains muscles restent contractés. Ce mécanisme du sommeil peut sembler très simple, pourtant il est très complexe de définir le sommeil.

Une chose est certaine, si nous voulons préserver notre équilibre physique, nous devons (comme il est mentionné plus haut), avoir une période de sommeil régulière toutes les 24 heures. Voici les quatre étapes du sommeil.

1- ALPHA :
L'endormissement, le rythme cardiaque ralentit, nos muscles se détendent, sommeil très léger, on vit cette étape en s'endormant, et tôt le matin.

2- THETA :
Cette étape peut créer de la somnolence, mais le sommeil reste facile à couper et on peut se rendormir très facilement. Même si cette étape ne dure vraiment pas longtemps, elle reste très importante.

3- DELTA :

Alors que la température du corps s'est abaissée, c'est pendant cette étape que vient le sommeil profond; la respiration est lente, on est complètement inconscient.

4- PARADOXALE :

Cette période est normalement la plus longue. Elle produit des rêves très agités et des mouvements oculaires très rapides; c'est comme un troisième état de notre existence.

Chaque cycle complet dure 90 minutes. On reproduit approximativement cinq cycles par nuit de sommeil.

Il importe peu de bien comprendre le sommeil. Ce qu'il faut, c'est d'en saisir l'absolue nécessité pour le bon fonctionnement de chacun.

ANALYSE DES HABITUDES DE SOMMEIL ET DE LA POSITION QUE CHACUN ADOPTE POUR DORMIR

Les recherches tentent de prouver que la plupart des habitudes de sommeil et la position que chacun adopte pour dormir ont leur propre définition. Voici un résumé des positions les plus courantes, mais cela ne constitue qu'une introduction au monde du sommeil. Comme l'expression le dit si bien : «J'espère que vous trouverez chaussure à votre pied.»

- **Couvert jusqu'au cou :**
  Fidélité, dévouement.

- **Couvert par-dessus la tête :**
  Insuccès, instabilité de votre situation.

- **Pas couvert du tout :**
  Liberté, bien-être.

- **Un oreiller sur la tête :**
  Honte, peur.

- **Pas d'oreiller du tout :**
  Réussite, honneur.

- Sur le dos :

Ces personnes manifestent une grande confiance en elles-mêmes, elles ne craignent pas le dérangement, elles prennent la vie comme elle vient, sont respectueuses et généreuses.

- Sur le ventre :

Cette position dégage une impression dominatrice. Les personnes qui dorment à plat ventre détestent générale-ment l'inattendu, l'improviste, et s'arrangent pour l'éviter. En revanche, elles sont ponctuelles, franches et loyales.

- Sur le côté droit :

Sens de l'égalité, de la loyauté et de la certitude.

- En étant plié :

Difficulté à prendre une décision, incertitude.

- Sur le côté gauche :

Vie ordinaire, jamais rien de nouveau.

- En étant plié :

Ennuis, tracas, solitude.

COMMENT MÉMORISER
SES RÊVES

Tout le monde rêve. Il a été établi avec certitude que toute nuit de sommeil normale ne comprend pas une, mais plusieurs périodes de rêves. Il faut prendre la peine d'écouter leur langage imagé et tâcher de les comprendre. Certaines gens affirment ne pas rêver ; c'est qu'elles oublient complètement tous leurs rêves. D'autres, en revanche, en ont un souvenir très exact. La plupart des gens n'ont que quelques souvenirs assez vagues et ne peuvent que très rarement raconter un rêve en détails.

Premièrement, il faut apprendre à mémoriser soigneusement ses rêves avant de se lever. C'est d'ailleurs toujours plus facile alors qu'on est encore à moitié endormi, parce que lorsqu'on est complètement réveillé, le cerveau diurne ne coïncide pas toujours avec le cerveau nocturne.

Ceux qui ne réussissent pas à mémoriser l'essentiel de leurs rêves laissent peut-être passer une partie très intéressante de leur vie. Ils risquent de ne pas progresser aussi rapidement sur les plans psychologique, social et amoureux, qu'une personne qui a pu en saisir la signification.

Deuxièmemement, quand vous vous réveillez après un rêve, essayez de ne pas bouger; laissez-vous aller et détendez-vous. Repensez à votre rêve, à l'atmosphère qui y régnait et, calmement, prenez votre carnet et votre crayon. Évitez de vous lever ou de bouger brusquement, ne faites pas d'efforts,

restez étendu, fermez les yeux et pensez, quelques images peuvent vous apparaître. Écrivez ce qu'elles représentent, les images diminueront au fur et à mesure que votre cerveau se réveillera. Puis, par la suite, reconstituez les images dans la mesure du possible.

Il existe de petits trucs plus radicaux. Programmez votre cadran pour qu'il sonne à toutes les 90 minutes pendant toute la nuit. À chaque réveil notez dans votre carnet tout ce qui vous traverse l'esprit. Si vous n'aimez pas écrire vous pouvez toujours dessiner. Cette méthode, quoique différente, est tout aussi efficace et peut-être même plus car l'imagination vient plus facilement en dessinant.

Personne ne peut nier que certains rêves ont une signification particulière, et n'oubliez pas que le seul fait d'être convaincu qu'un rêve et sa définition peuvent vous être utiles, peut vous permettre de vous en souvenir.

LE SOMMEIL DES ENFANTS
ET LEURS CAUCHEMARS

Il y a un domaine assez complexe ; celui de l'apprentissage de l'enfance au sommeil; celui-ci est tout aussi imprévisible que celui des adultes.

Dans la plupart des familles, les enfants ont une opinion différente de celle des parents concernant le sommeil, plus précisément, sur l'heure du coucher ou bien sur l'éclairage de la pièce, et même parfois l'endroit ne leur convient pas. Ils aimeraient mieux dormir avec leurs parents ou dans le salon en écoutant la télévision.

Succomber à leurs caprices n'est pas toujours bon, mais n'oubliez pas qu'un faible éclairage, un peu de bruit, la voix ou même une porte laissée entrouverte peuvent sécuriser l'enfant.

Les parents, pour la plupart, se fient un peu trop à ce qu'on leur dit ou à ce qu'ils lisent sur les principes du sommeil de leurs enfants. Normalement, un nouveau-né dort approximativement dix-sept heures par jour ; certains bébés peuvent ne dormir qu'une dizaine d'heures et d'autres, une vingtaine, tout à fait normalement. Leur temps de sommeil décroît au fur et à mesure qu'ils grandissent.

Certaines gens aimeraient bien dormir comme un bébé, c'est qu'ils n'en ont sûrement jamais eu. A l'âge de treize ans, la moyenne d'heures de sommeil est de huit ou neuf heures par jour. Il est très important de veiller avec soin sur l'habitude de sommeil de votre enfant : quelques-uns sucent leur pouce, leur drap et même leur couverture. Ceci n'est pas mauvais car ça facilite l'endormissement et les met très à l'aise et très décontractés. Tout ce que ça prend pour être bien reposé.

De plus, pour bien faire, l'enfant devrait avoir le droit de dormir quand il a sommeil et de se lever quand il le veut, mais la vie d'aujourd'hui ne nous le permet pas toujours.

Dans bien des cas les parents travaillent, et s'ils se réveillent à six heures, les enfants se réveilleront aussi. Si les parents se couchent plus tôt parce qu'ils travaillent le lendemain, ils seront portés à coucher leurs enfants en même temps qu'eux. On parle ici des enfants en bas âge, bien sûr.

Les parents ne devraient pas obliger leurs enfants à dormir parce qu'eux-mêmes veulent aller au lit. Laissez-les lire ou regarder un livre dans leur lit ou bien donnez-leur un jouet; ils finiront bien par s'endormir avec.

Le meilleur moyen de savoir si un enfant dort suffisamment c'est de déterminer si son entrain ou son comportement en souffre. S'il est lent à comprendre, s'il se sent faible, s'il est de mauvaise humeur, c'est possible qu'il souffre d'un manque de sommeil. N'oubliez pas que se faire du souci pour ses enfants est une attitude des plus honorables.

Et que dire des enfants qui ne réussisent pas à s'endormir ? Certains souffrent d'insomnie, tout comme les adultes. Les enfants peuvent avoir certains soucis qui les empêchent de dormir pendant quelques nuits. Ne les grondez pas, vous ne pouvez leur demander d'avoir la même maîtrise de soi que les adultes. Ce ne sont que des enfants : ils ont besoin de sécurité et d'amour.

Les enfants aussi font des cauchemars. Tout comme pour l'insomnie, la cause pourrait bien être quelque chose qui les ont troublés dernièrement. Exemples : un divorce, une dispute, ou bien le souvenir d'une émission de télévision terrifiante qu'ils auraient écoutée. Mais si cela se produit fréquemment, il y a peut-être là un problème qui concerne la santé de l'enfant ou son évolution psychologique.

Un rêve terrifiant peut avoir une influence très néfaste sur le système nerveux. C'est pourquoi il faut prendre le temps d'expliquer à votre enfant qu'il rêvait. Répétez-lui qu'à part vous il n'y a personne d'autre dans la chambre ni sous le lit. Ne l'amenez pas dormir avec vous dans votre lit pour le sécuriser, ce serait une mauvaise décision. Il vaut mieux le réconforter dans sa chambre. Et surtout ne jouez pas le jeu, autrement dit, ne lui faites pas croire que vous avez chassé le méchant ou la bête, vous n'arriveriez qu'à lui faire croire que quelque chose existe réellement et il risquerait d'être encore plus terrifié.

S'il décide d'en parler, écoutez-le attentivement, intéressez-vous à ses malheurs et, puis faites-lui comprendre que tout le monde peut faire des cauchemars. C'est tout à fait normal et son cas n'est pas unique.

COMMENT BIEN DORMIR

On sait l'importance d'une bonne nuit de sommeil. Dans certaines circonstances, vous pourriez vous réveiller à toutes les demi-heures pendant la nuit, ou bien être très fatigué en vous levant le matin, comme si vous n'aviez pas dormi.

Cela dépend peut-être de la température de la pièce. Un certain degré de fraîcheur favorise le sommeil. De fait, quand nous nous endormons la température de notre corps baisse de deux degrés. Il y a aussi la clarté, qu'il faut surveiller : Dans une pièce sans rideaux nous nous réveillons plus tôt le matin. Plus la chambre est obscure, plus cela nous aide à nous endormir et à rester endormi. On peut dormir avec une lumière vive, mais certains tests de laboratoire ont démontré que le sommeil, alors, n'est pas aussi profond et reposant que dans l'obscurité.

Certaines personnes aiment s'endormir au son de la télévision ou de la radio. Ces habitudes sont aussi à déconseiller. Pour passer une bonne nuit de sommeil, même votre cerveau, si vous dormez, continue de travailler et d'enregistrer les sons et les bruits. Si vous voulez bien vous reposer reposez-vous complètement.

Une tenue légère est également conseillée. Elle vous fera en sorte que vous serez à l'aise et décontracté. Rappelez-vous qu'une personne qui dort bien, bouge de 20 à 30 fois par nuit, alors qu'une personne qui dort mal, ou une personne malade, bouge approximativement 100 fois.

LE SOMNAMBULISME

Les médecins ignorent encore beaucoup de données à propos du somnambulisme. Certains l'associent à l'épilepsie du lobe temporal alors que d'autres optent plutôt pour un problème d'ordre psychologique. Dites-vous qu'environ 15 % des enfants qui ont entre quatre et onze ans ont été somnambules au moins une fois. Ce phénomène peut survenir autant chez les adultes que chez les enfants.

Généralement héréditaire, le somnambulisme est plus fréquent chez les hommes que chez les femmes, et chez les personnes montrant une plus grande anxiété. Normalement passager chez les enfants, ce syndrome disparaît en vieillissant. C'est généralement au premier tier de la nuit qu'il se manifeste. Si le somnambule parle, son langage sera complètement indéchiffrable, ses yeux seront sûrement ouverts, mais son visage ne trahira absolument aucune expression. Très souvent désorienté, le sujet se frappe un peu partout. Les somnambules peuvent regagner leur lit une quarantaine de minutes plus tard, sans avoir aucun souvenir le lendemain.

Pour les parents, la mesure la plus importante à prendre est de s'assurer que l'enfant ne se blesse. Voici quelques petits trucs qui pourraient vous permettre, à vous les parents, de dormir sans inquiétude.

1- Placez, si possible, son lit au rez-de-chaussée, lui évitant peut-être ainsi de dégringoler un escalier ou bien de chuter par une fenêtre.

2- Assurez-vous d'avoir bien fermé les portes et de les avoir verrouillées, ainsi que les fenêtres. Cela l'empêchera de gagner l'extérieur. Certains parents attachent une corde reliant leur enfant à leur lit, s'assurant ainsi qu'il n'aura aucun accident. Ils n'ont aucun soucis à se faire.

SIGNES DU ZODIAQUE

Il est intéressant de savoir que les signes du zodiaque exercent une influence directe sur notre tempérament, notre façon d'être et d'agir. Peut-être ces courtes définitions pourront-elles vous aider à vous orienter vers un avenir meilleur. Si vous attachez également de l'importance à l'horoscope chinois, rien ne vous empêche de conjuguer les deux, peut-être vous y reconnaîtrez-vous.

BÉLIER : DU 21 MARS AU 20 AVRIL

Travailleur, courageux, parfois obstiné. Émotif, mais il a toujours une bonne raison. En sa présence on ne s'ennuie guère.

TAUREAU : DU 21 AVRIL AU 19 MAI

Créateur, persévérant, souvent nerveux. Adversaire redoutable, on le reconnaît par son habitude à vouloir tout contrôler.

GÉMEAUX : DU 20 MAI AU 20 JUIN

Intellectuel, imaginatif, doué d'une grande intuition. Grand penseur, le natif du signe des Gémeaux analyse tout. Il est également fait pour vivre heureux.

CANCER : DU 21 JUIN AU 21 JUILLET

Quelquefois infidèle, charmant toujours. L'amour peut lui faire perdre la tête. Normalement agréable et joyeux, le Cancer est peut-être le signe le plus attachant.

LION : DU 22 JUILLET AU 22 AOÛT

Grande force et vitalité, normalement autoritaire, parfois brutal et un peu trop franc. Le Lion reste quand même le plus tendre et affectueux.

VIERGE : DU 23 AOÛT AU 22 SEPTEMBRE

Sujet passionné, fidèle et appliqué au travail. Amical et honnête, le natif de ce signe représente généralement un être heureux et aimant la vie.

BALANCE : DU 23 SEPTEMBRE AU 22 OCTOBRE

Sensuel et sensible, la générosité ne lui fait pas peur. Prend la vie comme elle vient, ne pense qu'au lendemain, ne se décourage pas facilement.

SCORPION : DU 23 OCTOBRE AU 21 NOVEMBRE

Puissance sexuelle, parfois égoïste et solitaire, toujours sur ses gardes. Le Scorpion peut-être autant aimant qu'agressif.

SAGITTAIRE : DU 22 NOVEMBRE AU 21 DÉCEMBRE

Loyal et franc, entêté et obstiné, il sait obéir et commander. Le Sagittaire est peut-être le seul à réfléchir avant de parler ou d'agir.

CAPRICORNE : DU 22 DÉCEMBRE AU 22 JANVIER

Jaloux et mélancolique, c'est un grand rêveur. La noblesse du Capricorne l'incité à rester simple. Il ne se laisse pas ennuyer si facilement.

VERSEAU : DU 21 JANVIER AU 19 FÉVRIER

Élégant, dévoué, loyal et aimant la vie, il jouit d'une très grande liberté d'expression. Le Verseau est également très possessif et rancunier.

POISSONS : DU 20 FÉVRIER AU 20 MARS

Peu souciant, son manque de confiance le rend difficilement saisissable ; toujours en duel avec quelqu'un ou avec lui-même. Le natif des Poissons, a souvent besoin de changement d'air.

HOROSCOPE CHINOIS

Nous savions déjà que la Lune nous influençait, et les Chinois ont étudié cette influence. Ne vous demandez plus si vous êtes né sous une bonne étoile, mais si vous êtes bien ou mal luné. Nous avons cru bon de donner ici une brève explication des signes chinois, pensant que ça pourrait être très utile pour une analyse plus poussée et plus approfondie de vos rêves. Commencez par trouver votre signe à partir de votre année de naissance, tentez de jumeler la définition de votre signe avec celle de votre rêve, cela pourrait peut-être vous sensibiliser à certaines choses.

RAT :	1900	1912	1924	1936
	1948	1960	1972	1984

Adversaire redoutable, il a du charme, il reste calme tant qu'il ne se sent pas atteint. Le Rat se tracasse beaucoup et souvent

29

sans raison, son goût de la perfection le rend exigeant pour lui-même comme pour les autres.

BUFFLE :   **1901**   **1913**   **1925**   **1937**
            1949   **1961**   **1973**   **1985**

Il dit ce qu'il pense, comme il le pense, et sans détour. Patient au travail sa droiture favorise ses ambitions personnelles. Ne le mettez pas en colère, il l'emporte presque toujours.

TIGRE :   **1902**   **1914**   **1926**   **1938**
          1950   **1962**   **1974**   **1986**

Il aime se faire obéir et déteste recevoir des ordres. En amour, en affaires ou en guerre, il s'arrangera toujours pour avoir le dernier mot. Son autorité naturelle lui confère un certain prestige.

CHAT :   **1903**   **1915**   **1927**   **1939**
        1951   **1963**   **1975**   **1987**

Discipliné, il est rarement de mauvaise d'humeur. Il sait plaire quand c'est dans son intérêt. Il parvient facilement à profiter des autres et quelquefois à vivre entièrement à leurs dépens, et n'oubliez pas qu'un chat retombe toujours sur ses pattes.

DRAGON :   **1904**   **1916**   **1928**   **1940**
           1952   **1964**   **1976**   **1988**

Très imaginatif, il sera quelquefois créateur, plein de vitalité, et n'abandonnera jamais la bataille. Le natif du Dragon est en danger en permanence en amour, en amitié et en affaires. Il n'affrontera pas, mais il se défendra. Il est parfois orgueilleux mais c'est un bon vivant.

SERPENT : 1905 1917 1929 1941
1953 1965 1977 1989

Dans certains pays, le Serpent est signe de beauté et de sagesse intérieure. Ce natif dégage à la fois de l'amour, de l'humour et de l'intrigue. Peu bavard, il aura de la chance en tout, tout au long de sa vie.

CHEVAL : 1906 1918 1930 1942
1954 1966 1978 1990

On le considère quelquefois comme une mascotte, un meneur. Joyeux et amical, il analyse tout. Il a toujours son mot à dire. Parfois égoïste, il a toujours une bonne raison et il ne supporte pas la solitude.

CHÈVRE : 1907 1919 1931 1943
1955 1967 1979 1991

Ce natif se tracasse pour un rien, se rabaisse inutilement. N'est peut-être le plus beau signe car, avec sa nature amoureuse, il sait se faire aimer. Parfois collant, ce sujet parle bien et sait se mettre en valeur.

SINGE : 1908 1920 1932 1944
1956 1968 1980 1992

Cultivé, et même instruit, il garde toujours une place pour l'humour et la fantaisie. Toujours bon joueur, il sait plaire et entraîne facilement les autres ; il n'en reste pas moins qu'il y a toujours dans son regard quelque chose de mystérieux.

COQ :

	1909	1921	1933	1945
	1957	1969	1981	1993

Parfois excentrique, le natif de ce signe aime se faire remarquer. Il ne s'intéresse que rarement aux autres ; son franc parlé le rend parfois brutal et agressif, mais au point de vue du travail c'est le meilleur. S'il commence quelque chose, il ira jusqu'au bout.

CHIEN :

	1910	1922	1934	1946
	1958	1970	1982	1994

Renfermé, il s'emballe pour un rien, mais il est juste, courageux, et généreux quand il estime que ça vaut la peine. On le craint pour sa franchise et son audace. Certains peuvent même saisir la pensée des gens avant même qu'ils l'aient exprimée.

COCHON :

	1911	1923	1935	1947
	1959	1971	1983	1995

Adorant l'excès, le natif du Cochon ne se prive pas. Ce qu'il veux, il l'obtient. Toujours galant, amoureux et serviable, il mérite confiance. C'est un pacifique ; il accepte la défaite en riant et si vous avez le moral bas, consultez-le, il saura vous remonter.

DES GENS QUI PENSENT TROP

Certaines gens ne font pas simplement démasquer leurs rêves, ils les construisent. Mais on ne parle ici que d'un nombre restreint de personnes.

Ces gens sont généralement plus penseurs, songeurs et rêveurs que la majorité. Ils sont portés à analyser tout en profondeur, rien ne leur échappe.

Mais tous ça leur donne certains avantages, car ceux-ci ont le pouvoir de manipuler, non pas les gens, mais leur subconscient nocturne, autrement dit, quand ils sont dans un rêve ils le savent. Ils sont présentement en rêve. Comme n'importe qui, qui est conscient de rêver, il s'efforcerait de réaliser ses propres désirs. Alors, qu'importe l'endroit, ou l'ambiance, s'ils pensent à quelque chose, prenons par exemple un champ de fleurs, alors ils n'ont qu'à ouvrir une porte, à fermer les yeux, faire un pas pour se retrouver exactement à l'endroit ou avec les personnes auxquelles ils auront voulu être. Et ce qu'il y a de plus avantageux encore c'est que, au réveil, ils auront encore tout en mémoire jusqu'aux plus petit détails.

Mais parfois ils sont complètement dépourvus de leur pouvoir, et ils peuvent, comme tout le monde, faire des cauchemars ou bien se retrouver en présence de personnes non désirées. Normalement, ce phénomène ne leur arrive qu'une fois ou deux par semaine.

Ils ne peuvent pas toujours programmer leurs rêves, mais quand ils y parviennent, quelle chance ils ont ! Prenez-en ma parole, j'en suis conscient car je fais partie de ce petit nombre de privilégiés.

DE GRANDS NOMS

Alfred Adler (1870 - 1937)

Autrichien de naissance, ce grand médecin avait toujours été convaincu que vouloir c'est pouvoir, quand il s'agit d'accepter autant ses complexes d'infériorité que de supériorité. Adler avait suivi les traces de Freud jusqu'à ce qu'il désapprouve ses théories à propos de la sexualité et des rêves. Il était également créateur d'une école de pensée indépendante. Sa qualité la plus grande a été sa détermination à aider son prochain (drogué, alcoolique, dépressif, criminel). Dans ses dernières années, il avait reçu une reconnaissance universelle; il eut sa théorie personnelle sur la psychologie individuelle ainsi que sur la différence entre le bonheur et l'autocentre de satisfaction.

Sigmund Freud (1856 - 1939)

Né à Moravie, il avait toujours été persuadé que l'esprit inconscient influençait puissamment l'esprit conscient. D'abord, il avait eu une passion pour la science, mais il avait fini par devenir médecin et il explorait les déséquilibres mentaux. Très analyste, ce grand homme avait une fantastique conception de la sexualité infantile. Son plus gros travail et le plus intensif fut *L'interprétation des rêves*. Il ne s'est mérité le respect et la considération que vers la fin de sa vie. Fuyant les nazis en 1938 parce qu'il était Juif, il avait abouti en Angleterre où il a trouvé la mort l'année suivante. Jamais personne n'aura poussé une théorie aussi loin et ne l'aura autant approfondie.

Carl Gustav Jung (1875 - 1961)

Ce grand voyageur était un psychiatre et un psychologue suisse. Après de longues études à Paris, et plus précisément à Bâle, il devint le grand ami de Freud jusqu'au jour où, tout comme Adler, il rompit formellement avec ses idées et ses conceptions. Il s'est penché vers une approche plus religieuse et plus mystique que scientifique. Admirateur de mythologie et d'alchimie, il produisit par la suite de nombreux livres fort bien documentés, fruit de ses nombreux voyages. Il survécu à deux guerres mondiales, mort en 1961 à Zurich. Il avait même rêvé de la première avant qu'elle n'ait eu lieu.

LES 15 QUESTIONS LE PLUS SOUVENT POSÉES

À la suite de plusieurs recherches personnelles, voici la liste des quinze questions le plus souvent posées, ainsi que leur réponse.

1- Quelquefois je me réveille quand je suis au plus beau moment de mon rêve. Par exemple, juste avant d'embrasser mon idole ou avant de passer à l'acte désiré. Pourquoi ?

Cela voudrait alors signifier qu'il y a certains aspects de votre vie que vous avez complètement ratés, ou bien que vous n'avez pas déployé assez d'efforts pour exécuter votre travail ou pour mettre de l'ordre dans votre vie. Analysez le tout jusqu'au moindre détail, car ce genre de rêve est toujours très significatif.

2- Tous le monde rêvent. Pourquoi ?

Certains professionnels ont déclaré que nous rêvons pour préserver notre santé physique, mentale et émotionnelle. Mais aussi pour nous donner une chance de nous exprimer librement. Peut-être aussi qu'une fois le rêve démasqué, nous pourrons améliorer notre vie.

3- Je fais des cauchemars. Pourquoi ?

Dans certains pays, ils appellent cela «fouler le démon». Mais les cauchemars sont généralement causés par une mauvaise santé ou sont consécutifs à un problème. Si cela vous perturbe à ce point, réglez ce problème et les cauchemars s'évanouiront.

4- Est-ce que les rêves se réalisent ?

Très rarement, car ils sont généralement conçus pour vous orienter vers un meilleur sort. Mais il peut arriver qu'ils se réalisent. D'après certains tests il y a une chance sur cent. Mais il y a autre chose : il se peut que vous fassiez quelque chose et que vous ayez l'impression du déjà vu, vous l'aviez sûrement rêvé.

5- Certaines personnes parlent en dormant. Pourquoi ?

Leur langage est généralement indéchiffrable. Mais pour le dormeur qui rêve, ce langage est complètement différent, il est clair et a une signification précise. On peut aussi dormir et parler très clairement, ce qui se produit normalement au moment de l'endormissement. Ne vous en faites pas, c'est tout à fait normal.

6- Je me réveille souvent la nuit. Pourquoi ?

Cela pourrait être relié à une alimentation déséquilibrée, à une trop grande clarté dans la chambre, à un air trop sec, etc. Bien d'autres raisons sont également plausibles, si vous vous droguez avec des pilules, du cannabis, des drogues fortes ou de l'alcool. Vos fréquents rêves pourraient être reliés à un manque dont souffre votre organisme.

7- Quelquefois je me réveille avec une érection. Pourquoi ?

Une érection au réveil, ou la nuit, n'est pas nécessairement de nature sexuelle. Cela se produit toujours en
phase paradoxale (Voir page 12). Ces érections sont nor-
males, et même les vieillards et les bébés en ont. Parfois,
au réveil, il se peut que votre vessie soit remplie, ce qui
pourrait causer une érection.

8- J'ai de la difficulté à m'endormir. Pourquoi ?

Cela peut être imputable à plusieurs facteurs : caféine,
tabac, soucis quotidiens, problèmes de santé. Une ambiance inconfortable peut parfois vous empêcher de vous
endormir. Alors, si vous pouvez voir à l'une de ces
raisons vous pourrez sans doute vous rendre compte de
bien des choses, et cela vous aidera sûrement à vous
endormir.

9- Certaines personnes ronflent. Pourquoi ?

Constatation assez intrigante. Le ronflement produit une
sonorité lourde et prolongée causée généralement par la
respiration. Il est plus fréquent chez une personne qui
dort sur le dos. Vous pouvez mettre fin au ronflement de
quelqu'un en lui pinçant le nez.

10- Je fais souvent le même rêve. Pourquoi ?

Ce rêve fait, sans contredit, allusion à un désir que vous
n'avez jamais osé exprimer ou à un défaut que vous
n'avez jamais réussi à corriger. Pour vous en débarrasser,
affrontez votre destin et ne vous découragez pas, un jour
vous réussirez.

11- Peut-on rêver en étant éveillé ?

Oui bien sûr, dans ce cas, ceci devient un rêve astral. Très peu de gens réussissent à faire de tels rêves. Il faut généralement avoir une saine alimentation, manger très peu de viande, dormir huit heures par nuit, marcher minimum trente minutes par jour à l'extérieur, méditer et prier très fort tous les jours.

12- Au réveil, je suis autant fatigué qu'au coucher. Pourquoi ?

Premièrement, cela pourrait être causé par une trop longue nuit de sommeil. On conseille de ne pas dormir plus de douze heures par nuit. Deuxièmement, peut-être n'étiez-vous pas assez à l'aise. Portez une tenue légère et installez-vous plus confortablement; ce sera probablement plus reposant.

13- Au réveil, j'ai une très mauvaise haleine. Pourquoi ?

Normalement, cela provient d'un mauvais entretien de vos dents ou d'un problème de gencives. Brossez-vous les dents avant de vous coucher pour éliminer les particules de nourriture qui pourraient rester coincées entre vos dents et utilisez de la soie dentaire. Ainsi, vous résoudrez sûrement votre problème.

14- Quand je me réveille, il m'est difficile, et même parfois impossible, de me rendormir. Pourquoi ?

Vous êtes peut-être quelqu'un qui réfléchit trop et qui est souvent tendu. Votre corps y gagnerait peut-être à être plus actif et votre mental a peut-être besoin d'émotions.

Mais cela pourrait tout simplement signifier que vous avez assez dormi.

15- La signification de mon rêve ne correspond pas vraiment avec ma vie actuelle. Pourquoi ?

Cette signification vous semble peut-être invraisemblable parce qu'elle ne se rapporte pas nécessairement à votre vie actuelle, mais plutôt à votre vie future ou à celle d'une connaissance proche. Par exemple, si la signification de votre rêve vous prédit une séparation ou un divorce, ce n'est pas néssairement vous qui serez en cause, mais peut-être vos parents ou un couple d'amis proches. Ce rêve avait sûrement pour but de vous inciter à aider votre prochain.

Lexique de A à Z

A

Voir Alphabet.

ABAISSER :
- Une personne ou un ami : Dispute, malentendu ou peur à venir.
- Être abaissé : Vous serez apprécié pour vos services, vos succès.

ABANDON :
- Être abandonné : Vie heureuse et remplie de joie.
- Abandonner quelqu'un : Perte monétaire ou amicale.

ABAT-JOUR :
- Manque de sincérité.

ABATTOIR :
- Le voir vide : Maladie ou deuil.
- Le voir rempli : Bon présage de succès.

ABATTRE :
Voir le mot tuer.

ABEILLE :
Voir Insectes et reptiles.

ABCES :
- Tristesse, temps durs.

ABDOMEN :
Voir Anatomie.

ABOIEMENT :
- Entendre aboyer : Attention aux gens malhonnêtes.

ABONNEMENT :
- À une revue ou à un journal: Vous vous ferez de nouveaux amis.

ABORDER :
- Sur une plage ou sur une île : Surprise imprévue.
- Quelqu'un : Vous ferez une rencontre amicale.

ABREUVOIR :
- En voir un : Vous êtes prêt a prendre un nouveau départ.
- S'en servir : Retrouvailles.

ABRI :
- En voir un : Temps très durs.
S'y réfugier : Vous aurez besoin d'un soutien moral.

ABRICOT :
Voir Fruits et légumes.

ABSENCE :
- D'un ami ou d'un proche : Tristesse de courte durée.

ABSOLUTION :
- La recevoir : Succès dans vos amours.
- La donner : Confiance mal placée.

ACADÉMIE :
- En voir une : Vous ferez une connaissance intéressante.
- En être membre : Vous ferez un geste apprécié.

ACCIDENT :
- En être victime : Ceci indique la fin de vos problèmes.
- En voir un : Vous aurez des problèmes avec la justice.

ACCLAMATION :
- Être acclamé par une personne : Cette personne vous causera des ennuis.
- Acclamer quelqu'un : Manque de confiance.

ACCOLADE :
- Ne donnez pas votre confiance si facilement.

ACCOMPAGNER :
- Quelqu'un : Cette personne aura besoin de votre soutien moral.
- Être accompagné : Manque d'amitié.

ACCORDÉON :
Voir Musique.

ACCOUCHEMENT :
- En voir un : Réussite prochaine.
- Accoucher : Vos espoirs vont se réaliser.

ACCOUPLEMENT :
- D'animaux : Naissance prochaine.

ACCUEIL :
- En recevoir un bon : Cette ou ces personnes pourraient vous protéger ou vous réconforter.
- Accueillir une ou plusieurs personnes : Appel au secours.
- En recevoir un mauvais : Querelle, dispute.

ACCUMULER :
- De l'argent ou des biens : Vous accomplirez sans raison sérieuse un travail complètement inutile.

ACCUSATION :
- Être accusé : Vous serez trahi par un de vos amis.
- Accuser quelqu'un : Justice sera faite.

ACHAT :
- En faire un : Vous éprouverez un changement dans votre vie.

ACIDES :
- Malentendu, dispute.

ACIER :
- En voir : Cela peut présager l'échec d'une bataille contre une personne dont la force est supérieure à la votre.

ACOMPTE :
- En verser un : Si vous avez fait des promesses vous les tiendrez.
- S'en faire verser un : N'accordez votre confiance qu'à des gens qui le méritent.

ACQUISITION :
- En faire une : Excellent pronostic quant à la vie matérielle.

ACROBATE :
- En voir un : Si vous avez des problèmes de santé ils seront résolus.
- Faire une acrobatie réussie : Présage bénéfique.
- Faire une acrobatie manquée : Affaire décevante, maladie.

ACTEUR :
Voir Travail.

ACTION :
- En acheter ou en avoir : Soucis en affaires.
- En vendre : Fin de vos soucis.

ADAM ET ÈVE :
- Les voir : Annonce une naissance.

ADIEUX :
- Faire ses adieux : Amour fidèle.
- En recevoir : Signe de désagrément.

ADMINISTRATEUR :
Voir Travail.

ADMIRATION :
- Admirer quelqu'un : satisfaction d'un désir.
- Admirer quelque chose : Affaire perdue par votre faute.
- Etre admiré : Vous subirez une humiliation.

ADOLESCENT :
- En voir un : Travail et désagrément.

ADOPTION :
- Être adopté : Méfiez-vous d'une maladie grave.
- Adopter quelqu'un : Vous serez guéri d'une maladie.

ADORER :
- Adorer quelqu'un : Des espoirs qui ne se réaliseront pas.
- Être adoré : Cela annonce un succès dangereux.

ADRESSE :
- L'écrire ou la lire : Insatisfaction dans votre travail.
- En chercher une : Contrariété dans vos travaux.

ADULTÈRE :
- En commettre un : Vous serez jugé sévèrement par vos amis et votre famille.
- En être victime : Réussite sur tous les points.

ADVERSAIRE :
- En vaincre un : Peines qui seront de courte durée.
- Être vaincu : Joie et satisfaction.

AFFAIBLISSEMENT :
- Être affaibli : Maladie prochaine.
- Voir quelqu'un s'affaiblir : Surveillez votre santé.

AFFAIRES :
- En faire de bonnes : Signifie qu'elles seront mauvaises.
- En faire de mauvaises : Il ne faut pas se décourager, il faut persister.

AFFAMÉ :
- Être affamé : Vous retrouverez un vieil ami.
- Voir un affamé : Vous perdrez un vieil ami.

AFFICHE :
- En lire une : Tromperie, peine.
- En coller une : Déshonneur, humiliation.
- En arracher une : Projet perdu par votre faute.

AFFRONT :
- En subir un : Votre situation sera nettement améliorée.
- L'infliger : Des différends de toutes sortes vous attendent.

ÂGE :
- Être âgé : Soyez plus jeune dans votre cœur et dans votre esprit.

AGENT D'IMMOBILIER, DE SÉCURITÉ :
Voir Travail.

AGENOUILLER :
- Devant quelqu'un : Danger de trahison.
- Tomber à genoux : Misère.

AGITER
- L'être : Pertes monétaires.
- Agiter quelque chose : Bonheur conjugal.

AGNEAU :
Voir Animaux.

AGONIE :
- Être à l'agonie : Longue vie.
- D'un ami ou d'un parent : Vous allez améliorer votre situation.
- D'un inconnu : Profit imprévu.

AGRAFES :
- En voir : Votre orgueil vous réussira.
- En acheter : Vous serez bientôt en mauvaise compagnie.
- En avoir : Contrariété prochaine.

AGRESSION :
- Être agressé : Réussite qui vous mènera aux honneurs.

- Agresser quelqu'un : Le mal que vous avez fait retombera sur vous.

AGRICULTURE :
- En faire : Vos projets se réaliseront.
- Voir une ou plusieurs personnes en faire : La chance est à la portée de votre main, saisissez-la.

AGRICULTEUR :
Voir Travail.

AIDE :
- Aider quelqu'un : Réussite en affaires.
- Voir quelqu'un vous offrir son aide : On a toujours besoin d'un plus petit que soi.
- Demander de l'aide : Votre sociabilité portera fruits.
- Crier à l'aide : Votre santé est menacée.
- Entendre un enfant crier à l'aide : Méfiez-vous des accidents.
- Entendre une personne âgée crier à l'aide : Vous serez malade.

AIGLE :
Voir Oiseaux et volailles.

AIGLEFIN :
Voir Poissons.

AIGUILLE :
- En voir une : De grands malheurs vous menacent.
- Se piquer avec une aiguille : Attendez-vous à des ingratitudes.
- Enfiler une aiguille : Retrouvailles.

AIGUISER :
Des couteaux : Vous faites preuve

d'imprudence.
Des outils : Signifie richesse.

AIL :
Voir Fruits et légumes.

AILES :
- En avoir et voler : Succès dans la vie.
- En avoir et ne pas voler : Chagrin, pauvreté.

AIMANT :
- En voir un attirer des
objets : Vous perdrez un de vos amis.
- Par lequel on est attiré : Ne vous laissez pas influencer.

AINE :
Voir Anatomie .

AIR :
- Calme : Joie, contentement.
- Agité : Refoulement, peine.
- Brumeux : Séparation ou éloignement d'une personne chère.
- Froid : Solitude.
- Chaud : Il est temps de voler de ses propres ailes.

AISSELLE :
Voir Anatomie.

ALARME :
- En voir ou en entendre une : Vous serez victime d'un vol.

ALBINOS :
- En voir un : Faites un peu plus attention à votre aspect physique.
- En être un : Manque de respect.

ALCOOL :
- En boire : Ne commencez pas de projet illégal, vous pourriez le payer très cher.
- En offrir : Vous vous ferez de nouveaux amis.
- S'en faire offrir : Ne vous laissez pas entraîner par des gens malhonnêtes.
- En vendre : N'essayez pas d'influencer vos amis.

ALERTE :
- Aérienne : Misère passagère.
- À la bombe : Risque de ruine.
- Nucléaire : De très mauvais augure, catastrophe inévitable.

ALIBI :
- Que l'on produit : Problèmes avec la justice.

ALLAITER :
- Se voir allaiter : Grossesse nerveuse.
- Voir des bêtes allaiter : Annonce l'arrivée d'un bébé.
- Voir une bête allaiter un bébé d'une autre espèce : Votre femme porte un enfant qui n'est pas de vous.

ALLIANCE :
- Bague : Mariage ou réalisation d'un projet important.

ALLIGATOR :
Voir Animaux.

ALLUMETTE :
- En voir une : Vous recevrez une belle fortune.
- En allumer une : Un amour deviendra plus profond.

- En éteindre une : Vous perdrez un ami.

ALMANACH :
- Le lire : Vous chercherez du changement.

ALOUETTE :
Voir Oiseaux et volailles.

ALPHABET :
- Le voir : Des personnes aimeraient vous aider, mais n'osent pas vous le proposer.
- Le lire : Grande victoire.
- A : Excellence
- B : Bonnes études
- C : Déception
- D : Gros projet
- E : Bien-être
- F : Mauvais goût
- G : Famille
- H : Plaisir
- I : Grossesse
- J : Joie
- K : Complication
- L : Intelligence
- M : Amour
- O : Sexualité
- P : Privation
- Q : Fantasme
- R : Dommage
- S : Travail
- T : Obligation
- U : Honte
- V : Bonté
- W : Fausse route
- X : Interdiction
- Y : Rareté
- Z : Perte

ALPINISTE :
Voir Sports et loisirs.

AMANDES :
- En voir: Satisfaction personnelle.
- En manger de bonnes: Richesse inattendue.
- De mauvaises: Insuccès.

AMANT :
- Si vous êtes marié ou sentimentalement engagé : On vous fera du mal.
- Si vous n'avez aucun attachement sentimental : Vous tomberez amoureux.

AMARRER :
- Barque : Vacances prochaines.

AMBITION :
- En avoir : Ne vous fiez pas sur les autres.
- En être victime : Succès.

AMBULANCE :
Voir Transports.

ÂME :
- En voir une : Ne brûlez pas la chandelle par les deux bouts.
- En voir une monter au ciel : Nouvelle intéressante.
- En être une : Vie longue et heureuse.

AMI :
- Avec lequel on rit : Vous subirez une séparation ou un divorce.
- Avec lequel on se querelle : Faux amis à redouter.
- Voir un ami mort : Surprise inattendue.
- En voir un : Gaieté, joie.
- En voir plusieurs : Vous recevrez une invitation.

AMOUR :

- Aimer une belle femme ou un bel homme : Gardez votre fidélité.
- Aimer une femme laide ou un homme laid : Vous serez trompé.
- Aimer une vieille femme ou un vieil homme : Attention aux maladies contagieuses.
- Être aimé par quiconque : Déplacement intéressant.

AMOUR (FAIRE L') :

- Avec une belle personne : Amour trompeur.
- Avec sa sœur ou son frère : Maladie grave.
- Avec une personne laide : Mariage prochain.

AMPOULES :

- En avoir : Vous vous débarrasserez d'un travail difficile.

AMPOULE ÉLECTRIQUE :

- En allumer une : Il est temps de faire le point.
- En éteindre une : Insuccès dans votre travail.
- En voir une : Gros bénéfices.

AMPUTATION :

- Être amputé : Bon profit pour les pauvres, ruine pour les riches.
- Voir quelqu'un d'amputé : Cherchez un nouvel emploi car vous serez renvoyé de celui-ci.

AMUSER :

- S'amuser : Le danger est proche.
- Amuser quelqu'un : Votre situation s'améliore.
- Voir quelqu'un s'amuser : Vous manquerez une soirée intéressante.

AMYGDALE :

Voir Anatomie.

ANATOMIE :

Chaque partie de votre corps ou celle d'un autre cache un certain message qui vaut vraiment la peine d'être analysé, car l'anatomie symbolise votre état de santé, votre subtilité et vos progrès matériel et moral ; c'est pourquoi les parties d'une anatomie comportent des symboles complexes et dignes de la plus grande attention.

- Être blessé ou souffrir à l'une ou l'autre de ces parties :
Souvenir pénible.

- Toucher à l'une ou l'autre de ces parties :
Nouvelle connaissance.

- Voir l'une ou l'autre de ces parties :
Exploration, curiosité.

- Perdre l'une ou l'autre de ces parties :
Infidélité, découverte.

- Avoir une maladie à l'une ou l'autre de ces parties :
Mauvaise alimentation.

- Montrer l'une ou l'autre de ces parties :
Ne vous vantez pas trop.

- Cacher l'une ou l'autre de ces parties :
Honte, complexe.

- Voir grosse l'une ou l'autre de ces parties :
Bon entourage.

- Voir petite l'une ou l'autre de ces parties :
Faux amis.

- Se faire opérer à l'une ou l'autre de ces parties :
Santé fragile, triste nouvelle.

- Voir poilue l'une ou l'autre de ces parties :
Les événements vont changer.

- Abdomen : Forte attaque.
- Aine (l') : Faiblesse.
- Aisselle : Grave confidence.
- Amygdale : Progrès, avancement.
- Anus : Ne vous laissez pas traiter comme ça.
- Artère : Problème mental.
- Avant-bras : Force intérieure.
- Bassin : Santé délicate.
- Biceps : Relaxez-vous, votre corps en a besoin.
- Bouche : Abondance, longue vie.
- Bras :Vous êtes un incompris.
- Bronche : Maladie passagère.
- Cage thoracique : Détérioration de votre état de santé.
- Cellule : Vous commettrez des erreurs.
- Cerveau : Hommage, mais peu d'intelligence.
- Chair : L'audace vous réussira.
- Cheville :Long voyage.
- Cils : La séduction, ça vous connaît.
- Clitoris : Fantasme réalisable.
- Coccyx : Chute, accident.

- Cœur : Grande difficulté.
- Colonne vertébrale : Manque d'exercice.
- Côte : Reconnaissance, remerciement.
- Cou : Succès, héritage.
- Coude : Fin d'une protection.
- Cuisse : Sexualité de mauvais goût.
- Dent : Bataille, querelle.
- Doigt : Attention à ne pas vous faire taper sur les doigts.
- Dos : Refus, abandon.
- Épaule : Aide appréciée.
- Estomac : Alimentation équilibrée.
- Fémur : Gros effort.
- Fesse : Plaisir sexuel.
- Foie : Surveillez votre alimentation.
- Front : Vous avez du front (de l'audace).
- Gencive : Grande sagesse.
- Genou : Problème causé par le vieillissement.
- Glande : Plan subtil.
- Gorge : Rhume, toux sèche.
- Hanche : Soirée dansante.
- Intestin : Maladie chronique.
- Jambe : Fatigue, besoin de repos.
- Jointure : Ennuis, tracas.
- Joue : Belle personnalité.
- Langue : Subtilité, ruse.
- Larynx : Évolution, maturité.
- Lèvre : Envoûtement sensuel.
- Mâchoire : Ne parlez pas trop.
- Main, paume : Travail manuel.
- Mamelon : Sexuellement attirant.
- Menton : Dignité prouvée.
- Moelle : Qui s'y frotte s'y pique.
- Mollet : Force brutale.
- Moustache : Défaut, erreur.

- Muscle,tendon : Exhibition, envie trahie.
- Narine : Vous sentirez le danger.
- Nerf : Dépression.
- Nez : Vous pouvez prévoir les choses.
- Nombril : Enfantillage.
- Oeil : Soyez vigilant.
- Omoplate : Forte opinion.
- Ongle : Tourments, soucis.
- Oreille : Restez attentif aux autres
- Orteil : Indifférence, froideur.
- Ovaire : Grossesse nerveuse.
- Palais : Succès matériel.
- Pancréas : Maladie contagieuse.
- Papille : Dégustation, souper.
- Paupière : Fatigue accumulée.
- Peau : Besoin d'extravagance.
- Pectoraux : Vantard, exhibition.
- Pénis : Crainte, peur.
- Talon : Piège, escroquerie.
- Testicule : Naissance prochaine.
- Tête, crâne : Intelligence.
- Thorax :Grande force.
- Tibia : Travail durable.
- Torse : Dur travail.
- Trompe :Soirée amusante.
- Utérus : Vous aurez beaucoup d'enfants.
- Vagin : Pensée érotique.
- Veine : Troubles cérébraux.
- Ventre : Santé à toute épreuve.
- Vertèbre : Gain, profit.
- Vésicule biliaire : Vous progressez sur le plan affectif.
- Vessie :Prenez vos précautions.
- Vulve : Défaut a corriger.

ANANAS :
Voir Fruits et légumes.

ANCÊTRE :
- En voir un : Vous cherchez vraiment a échapper à vos responsabilités.

ANCHOIS :
Voir Poissons.

ANCRE :
- En voir une : Joie dont vous serez privé par votre propre faute.
- La jeter : Vous viendrez à bout de tous les obstacles.
- S'y accrocher : Ne croyez pas que vos amis vous abandonneront.

ÂNE :
Voir Animaux.

ANÉMONE :
Voir Fleurs.

ANGE :
- En être un : Vous gagnerez bien votre ciel.
- Voir un ou plusieurs anges : L'amour vous entoure.
- Voir un ange monter au ciel : Cela signifie qu'il faut adoucir son cœur.

ANGLAIS :
- Le parler : Vous deviendrez célèbre.
- Entendre une personne parler anglais et ne pas comprendre :
- Changement de vie.

ANGOISSE :
- Être angoissé : Bonne année sur tous les plans.

ANGUILLE :
Voir Poissons.

ANIMATEUR :
Voir Travail.

ANIMAUX (de tous genres) :

En rêve, les animaux sont souvent très symboliques. À l'occasion, ils peuvent vraiment être considérés comme une forme de miroir par rapport à votre comportement ou votre personnalité. Prenons l'exemple du tigre ou du lion; cela voudrait signifier la force, le pouvoir et peut-être même la facilité d'entreprendre un projet, tandis que l'âne et la tortue auraient plutôt tendance à signifier que vous êtes un peu lent à comprendre, isolé ou en retard dans les affaires. Les rêves d'animaux signifient donc le plus souvent que vous êtes prêt à prendre un nouveau départ, que vous désirez modifier votre style de vie et vos habitudes.

- En capturer un :
Vos objectifs seront atteints.

- En tuer un :
Quelque chose est mort dans votre âme.

- En soigner un :
Vous pouvez compter sur l'aide de vos amis.

- En nourrir un :
Succès en affaires et en amour.

- Jouer avec un ou plusieurs :
Vous subirez une mésaventure.

- En acheter un :
Triomphe sur vos rivaux.

- En vendre un :
Exprimer à fond vos idées.

- En manger un :
Ne soyez pas si bête, vous êtes à deux doigts de réussir.

- En trouver un :
Lettre ou message inattendue.

- En voir un :
Réussite sur tous les plans.

- En caresser un :
Bonne nouvelle.

- Se faire attaquer ou mordre :
Ouvrez les yeux, un ami a besoin de vous.

- Agneau : Fin d'un chagrin.
- Alligator : L'ennemi vous guette.
- Âne : Vous êtes un peu têtu.

- Antilope : Vous êtes vite en affaires.
- Babouin : Vous êtes paresseux.
- Belette : Une femme vous nuira.
- Bélier : Bonne renommée vaut un trésor.
- Bison : On vous estime.
- Bœuf : Grosse perte.
- Bouc : Fortune.
- Brebis : Fortune, gain.
- Buffle : Mauvais présage.
- Caribou : Ne pas vous décourager pas, persévérez.
- Castor : Travail acharné.
- Cerf : Vous recevrez un dû.
- Chacal : Vous connaîtrez la solitude.
- Chameau : Vous surmonterez un obstacle.
- Chat : Vous pouvez avoir peur d'affronter votre destin.
- Chauve-souris : N'ayez pas peur d'affronter votre destin.
- Cheval : Bon présage.
- Chèvre : Vous ferez une démarche inutile.
- Chevreuil : Vous aurez un enfant.
- Chien :Vous ferez une très bonne connaissance.
- Chimpanzé : On aime être en votre compagnie.
- Cochon : Surveillez votre caractère.
- Coyote : Solitude, tracas.
- Crocodile : Vous verserez des larmes après vous être fait rouler.
- Dinosaure : Vous retrouverez une vieille connaissance.
- Dromadaire : Voyage épuisant.
- Écureuil : Ça sent le coup monté.
- Éléphant : Les ennuis s'arrangeront.
- Furet : Vous aurez de la compagnie.
- Gazelle : Vous êtes trop vite en affaires, côté cœur.
- Girafe : Vous êtes un peu trop curieux.
- Gorille : Force et intelligence.
- Grenouille : Avancement.
- Guépard : Fidélité, franchise.
- Hamster : Peur, incertitude.
- Hérisson : Grosse déception.
- Hippopotame : Pensez à suivre un régime.
- Hyène : Une dame âgée vous causera des problèmes.
- Jaguar : Trop de luxe vous nuira.
- Kangourou : Grossesse, naissance.
- Koala : Soyez pauvre, mais restez honnête.
- Lama : Langage vulgaire.
- Lapin : Grossesse imprévue.
- Léopard : Individu ayant acquis du bien par des moyens malhonnêtes.
- Lièvre : Vous aurez la force pour vaincre.
- Lion : Vous êtes un adversaire redoutable.
- Loup :Soupçon sans preuve à l'appui.
- Lynx : Rapidité en affaires.
- Mammouth : Domination, respect.
- Marmotte : Isolement, solitude.
- Moufette : Peut-être ce rêve fait-il allusion à votre odeur.
- Mouton : Succès, abondance.
- Mulet : Vous ne vous endurez même pas vous-même.
- Mulot : C'est dans les plus petits pots qu'on trouve les meilleurs onguents. (Expression)

- Orang-outan : Vous prendrez du poids.
- Orignal : Bon temps pour le flirt.
- Ours : Personne désagréable et rusée.
- Oursin : Qui s'y frotte s'y pique. (Expression)
- Outre : Femme âgée qui vous veut du bien.
- Panda : Tenez bon, le succès n'est pas loin.
- Panthère : Vous êtes considéré comme un instrument sexuel pour l'être aimé.
- Porc : Amour sans histoire.
- Porc-épic : Peine et chagrin.
- Puma : Ne vous laissez pas influencer.
- Putois : Vous dégagez beaucoup.
- Rat : Un de vos proches vous exploite.
- Raton-laveur : Attention au vol par effraction.
- Renard : Servez-vous de vos ruses, méfiez-vous des tricheurs.
- Renne : Vos devriez croire au père Noël.
- Rhinocéros : Vous vivrez longtemps.
- Sanglier : On vous agressera.
- Singe : La maladresse de vos amis vous causera du tort.
- Souris : On dit des choses sur votre compte.
- Taupe : Timidité.
- Taureau : On tentera de vous nuire, violence.
- Tigre : Vous vaincrez par la force.
- Vache : Abondance, fortune.
- Zèbre : La prison vous attend.

ANNIVERSAIRE :
- Si c'est le vôtre : Triomphe sur vos rivaux.
- Si c'est celui d'une autre personne : Frais imprévus.

ANNEAUX :
- En voir ou en porter un : Vous resterez célibataire longtemps.
- En avoir un : Signe de fiançailles ou de mariage.
- En briser un : Séparation amoureuse.

ANNONCE :
- En lire une dans le journal : Décision difficile.
- En voir une télévisée : Indécision.

ANNONCEUR :
Voir travail.

ANTENNE :
- En voir une : Lettre inattendue.
- En avoir une : On recevra la visite d'une personne partie depuis longtemps.

ANTILOPE :
Voir Animaux.

ANTIQUAIRE :
Voir Travail.

ANTIQUITÉ :
- En voir ou en avoir: récompense ou héritage.

ANUS :
Voir Anatomie.

AOÛT :
Voir Jours et mois.

APÉRITIF :
- En boire : Gaieté et bonheur.
- En offrir : Union, joie.
- S'en faire offrir : Réconciliation avec un adversaire.

APLATIR :
- Un objet : Divorce dans votre entourage.

APOPLEXIE :
- En être atteint : Une certaine personne vous fera peur.
- Voir qui en souffre : Cette personne aura peur de vous.

APÔTRE :
- En voir un : Soucis, inquiétude.
- En être un : Réussites dans vos entreprises.

APPAREIL PHOTO :
- Photographier quelqu'un : On cherche à vous influencer.
- Se faire photographier : N'abusez pas de votre influence.
- En voir un : Vous aurez de la difficulté à vous exprimer.

APPAREIL MÉNAGER :
- En voir : Amélioration de la gestion.
- En avoir : Pertes matérielles.

APPARTEMENT
- Bel : Refoulement inutile.
- Laid : Ordre, économie.
- Vide : Signe d'accident fatal.
- Sans plafond : Changement de position.

APPEL :
- Si vous ne pouvez pas préciser d'où provient l'appel : Signe de mort.
- Appeler quelqu'un : Danger pour la personne appelée.
- Recevoir un appel : Danger pour soi-même.

APPÉTIT :
- En avoir : Solitude, ennuis.
- En manquer : Année favorable.

APPLAUDISSEMENT :
- Se faire applaudir : Échec total.
- Applaudir : Honneur et promotion.

APPROVISIONNEMENT :
- S'approvisionner : Convalescence.
- Voir quelqu'un s'approvisionner : Le travail ne progresse que lentement.

AQUARIUM :
- Rempli d'eau avec des poissons : Rencontre désagréable.
Vide : Vie calme et paisible.

AQUEDUC :
- Beau : Des heures d'amusement.
- Laid : Mauvais propos.

ARBALETE :
- En voir une : Avancement, célébrité.
- S'en servir : Retard dans les affaires.

ARAIGNÉE :
Voir insectes et reptiles.

ARBITRE :
Voir Travail.

ARBRE :
- Y monter : Immense bonheur.
- En tomber : Tristesse, déshonneur.
- Portant fleurs ou fruits : Puissance sexuelle.
- Avec un feuillage vert : Longue vie.
- Le voir brûler : Indique un meurtre.
- Le couper : Frustrations sexuelles.
- Le voir mort : Santé et vie commune détériorées.

ARC :
- En voir un : Aventure amusante.
- S'en servir : C'est avec la volonté que vous réussirez.

ARC-EN-CIEL :
- En voir un : Guérison, santé.
- Succédants un orage : Après la pluie et l'orage surgit le beau temps.

ARCHÉOLOGUE :
Voir Travail.

ARCHEVÊQUE :
- En voir un ou lui parler : Vie longue et heureuse.
- En être un : Un de vos amis a besoin de vous.

ARCHITECTE :
Voir Travail.

ARCHIVES :
- En lire : Élévation de fortune.

ARÊTES :
En avaler : Risque de mort.
S'y piquer : Problèmes de santé.

ARGENT :
- En voir ou en avoir : Vous gagnerez bien votre vie.
- En trouver : On se repent d'avoir repoussé des offres avantageuses.
- En voler : Vous subirez le mal que vous avez fait.
- En perdre : Chance en affaires, malchance en amour.
- En gagner : Chance en amour, malchance en affaires.
- En donner : Chance à la loterie.
- En brûler : Signe de faillite.
- En compter : Dépense imprévue.
- En cacher : Apprenez à être un peu plus généreux.

ARGILE :
- En voir : Vous ferez face à un travail difficile.
- En manier : La persévérance vous réussira.

ARITHMÉTIQUE :
- L'apprendre : Surprise inattendue.
- L'enseigner : Un ami vous veut du bien.
- En voir ou en lire : Vous découvrirez des secrets.

ARMES :
- En recevoir : Élévation, promotion, bonheur.
- Être blessé : Il ne faut pas crier victoire avant la toute fin.
- En avoir : Acceptez-vous tel que vous êtes.
- En voir : Querelles.
- En acheter : Pour réussir dans une entreprise il ne faut reculer devant rien.
- En vendre : Faites une croix sur le passé.

- S'en servir : Vous gagnerez une cause à force de peine et de misère.

ARMÉE :
- En voir une : On ne peut changer sa destinée, mais on peut l'améliorer.
- En voir une en bataille : Vous vaincrez grâce à votre persévérance.
- En faire partie : Succès en affaires.
- En décrocher : De grandes pertes vous guettent.

ARMOIRE :
- Vide : Un malheur vous menace.
- Pleine : Profit, récompense.
- En voir une : Nostalgie, solitude.

ARMURE :
- En voir une : Vous combattrez vos ennemis sans difficulté.
- En porter une : Vous êtes intouchable, ne craignez rien.

ARPENTEUR :
Voir Travail.

ARRACHER :
- Arracher quelque chose : Avantage, honneur.
- Voir quelqu'un arracher quelque chose : Cette personne vous causera des ennuis.

ARRESTATION :
- Se faire arrêter : Vous vous sentez coupable pour rien.
- Assister à une arrestation : On aura besoin de vos services.
- Arrêter quelqu'un : Vous savez ou vous apprendrez qu'il y a un escroc parmi vos connaissances.

ARROSER :
- Des fleurs, des plantes ou de la terre : Peu de remerciements pour beaucoup d'efforts.
- Quelqu'un : Vous causerez des ennuis ou de la peine à une personne.
- Se faire arroser : Conflit dans votre maison.

ARSENIC :
- En prendre : Risque de cancer.
- En donner à quelqu'un : Ne faites pas confiance à vos voisins.
- En voir ou en avoir : Surveillez votre santé.

ARTÈRES :
Voir Anatomie.

ARTICHAUT :
Voir Fruits et légumes.

ARTISAN :
Voir Travail.

ARTISTE :
- Parler avec un artiste : Complexe d'infériorité.
- En être un : Grand parleur, petit faiseur.
- Se battre avec un artiste : Ennui probable.
- En aimer un : Vous manquez d'orientation.
- En détester un : Votre jalousie vous nuira.

ARTS MARTIAUX :
Voir Sports et loisirs.

ASCENSEUR :
- En voir un : Vous voudriez avancer rapidement, mais sûrement.
- L'utiliser : La chance s'offre à vous de faire un grand pas.
- Y être coincé : Il faut éliminer les barrages qui vous empêchent d'avancer.

ASILE :
- S'y réfugier : Il faut un peu plus de courage et de persévérance dans la vie.

ASPERGE :
Voir Fruits et légumes.

ASPIRATEUR :
- En voir un : Ne vous laissez pas entraîner.
- En utiliser un : N'ayez pas peur d'être franc.
- En vendre : Travail ennuyant.

ASPHYXIE :
- Être asphyxié : Grande peur.
- Voir quelqu'un être asphyxié : Éloignez-vous de cette personne.

ASSAISONNER :
- Telle ou telle chose : Vous recevrez un bijou de valeur.

ASSASSIN :
Voir Meurtrier.

ASSEMBLÉE :
- En faire partie : Manque d'indépendance, d'esprit.
- S'y voir debout : Vous subirez une accusation.
- D'hommes : Dispute, désaccord.
- De femmes : Union prochaine.

ASSEOIR :
- Être assis : Entreprise au-dessus de vos forces.

ASSIETTE :
- En voir une : Vous recevrez une bonne nouvelle.
- En casser une : Il ne faut pas exiger de quelqu'un plus qu'il peut faire.

ASSOMMER :
- Quelqu'un : Vous accomplirez un travail inutile.
- Être assommé : rencontre indésirable.

ASSURANCE :
- En conclure une : Perte et danger.

ASTHME :
- En faire : Corrigez-vous de vos défauts.
- Voir un asthmatique : Vous oublierez vite la souffrance disparue.

ASTRE :
- Brillante : Promotion, grade.
- Sombre : Deuil, insuccès.

ASTROLOGUE :
Voir Travail.

ASTRONAUTE :
Voir Travail.

ATELIER :
- Actif : Réussite surprenante.
- Inactif : Vous allez perdre votre emploi.

ATHLÈTE :
- En voir un ou plusieurs : Satisfaction prochaine.

- En être un : Une agitation qui tourne bien.

ATTACHER :
- Quelque chose : Laissez un peu plus de liberté à l'être aimé.

ATTAQUE :
- Se faire attaquer : Vous surmonterez une peine douloureuse.
- Attaquer quelqu'un : Misère sans fin.

ATTENDRE :
- Quelqu'un : La patience est une chose pénible, mais elle conduit à d'heureux résultats.

ATTENTAT :
- En voir un : Excitation, folie.
- En commettre un : Travail inutile.

ATOUT :
- En voir : Vous serez comblé de bonheur pendant toute l'année.

ATTOUCHEMENT :
- S'en faire à soi-même ou à quelqu'un d'autre : Sensualité exquise.

AUBERGE :
- Pleine : Vacances bien méritées.
- Vide : Vous vous sentirez rejeté.
- Qui brûle : Danger de maladie pour un de vos amis.
- S'y réfugier : Détérioration de la situation.

AUBERGINE :
Voir Fruits et légumes.

AUDIENCE :
- En donner une : Vous ne pouvez pas tout faire en même temps.
- Y assister : Ne laissez pas trop de liberté à vos ennemis.

AUMÔNE :
- Faire l'aumône : Réussite extra-ordinaire.
- La recevoir : Peine de cœur.

AUTEL :
- En voir un : Préparation d'une nouvelle entreprise.
- En construire un : Mariage possible pour les célibataires.
- Devant lequel on prie : On vous pardonnera vos péchés.

AUTEUR :
Voir Travail.

AUTO (de course, de patrouille) :
Voir Transports.

AUTOBUS :
Voir Transports.

AUTOMOBILE :
Voir Transport.

AUTORITÉ :
- Avoir affaire à une autorité quelconque : Rentrée d'argent.
- Faire preuve d'autorité : Mécontentement.

AUTRUCHE :
Voir Oiseaux et volailles.

AVALANCHE :
- En voir une : Éloignez-vous de

certains projets pendant qu'il en est encore temps.
- En être victime : Un plan ambitieux échouera.

AVALER :
- De bonnes choses : Liaison amoureuse.
- De mauvaises choses : Attention aux accidents.

AVANCES :
- En recevoir : Faillite totale.
- En faire : Travail indécent.

AVANT-BRAS :
Voir Anatomie.

AVARE :
- En être un : Héritage, richesse.
- En voir un : Vous rencontrerez l'âme sœur.

AVENTURE :
- Bonne : Puissance sexuelle.
- Mauvaise : Apprenez à mieux vous contrôler.
- Sexuelle : En amour, il est bon d'être entreprenant.

AVENUE :
- En voir une, y être,
y habiter : Vous retrouverez une personne qui vous est chère.

AVERSE :
Voir Pluie.

AVEUGLE :
- En être un : Il est bien temps de vous réveiller.
- En voir un ou plusieurs : Attention aux conseils mal placés.

- En conduire un : N'exploitez pas les gens.

AVIATEUR :
Voir Travail.

AVION :
Voir Transports.

AVOCAT :
Voir Fruits et légumes.
Voir Travail.

AVOUER :
- Un tort : Vie difficile.

AVOINE :
- En vendre ou en acheter : Revenu supplémentaire pendant toute l'année.
- La voir mûre : Gain.
- En manger : Une déception que l'on craignait ne se produira pas.

AVORTEMENT :
- Un des plus indésirables présages, n'importe quelle vision directe ou indirecte avec l'avortement : Pertes et chagrins de toutes sortes.

AVRIL :
Voir Jours et mois.

Voir Alphabet.

BABILLARD :
- Imprimé : Votre deuxième choix sera le meilleur.

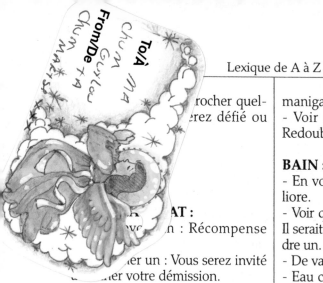

rocher quel-
...erez défié ou

...AT :
...ve...n : Récompense

...er un : Vous serez invité
...er votre démission.

BAGAGE :
- En voir ou en perdre : Désagrément domestique.
- Faire ses bagages ou en trans-
porter : Vous serez invité à une
soirée.

BAGARRE :
Voir Bataille.

BAGNOLE :
Voir Transport (automobile).

BAGUE :
- En voir ou en porter une : Vous
tomberez amoureux .
- En donner ou en perdre une :
Perte de toutes sortes.

BAGUETTE :
- Magique : Votre secret est dé-
couvert, vous êtes en danger.

BAIGNADE :
Voir Sports et loisirs.

BÂILLON :
- Être bâillonné : Menace dont
vous aurez peur.
- Bâillonner quelqu'un : Votre

manigance sera dénoncée.
- Voir quelqu'un de bâillonné :
Redoublez de prudence.

BAIN :
- En voir un : La situation s'amé-
liore.
- Voir quelqu'un prendre un bain :
Il serait peut-être temps d'en pren-
dre un.
- De vapeur : Travail inutile.
- Eau chaude : Attention aux ma-
ladies.
- Eau froide : Vous serez guéri
d'une maladie.
- Eau salée : Tristesse de longue
durée.
- Eau propre et tiède : Bonheur et
prospérité.
- Eau sale : Dégoût, malaise.

BAISER :
- Entre les yeux : Mariage prochain.
- Sur la bouche : Soyez un peu
plus prudent en amour.
- Sur la main : Amitié sincère et
profonde.
- À un mort : Vous allez vivre très
vieux.
- À un jeune garçon ou à un
homme : On sera satisfait de votre
travail.
- À une jeune fille ou à une
femme : Chance en amour.
- À une personne âgée : Rupture,
séparation.
- En recevoir un ou plusieurs : On
vous estime.
- Baiser la terre : Peine et déshonneur.

BAL :
- S'y rendre ou y être : Vous allez

vivre de longues heures amusantes.
- Y danser : Soirée mouvementée.
- Bal masqué : Il y a des visages à deux faces dans votre entourage.

BALAI :
- En voir un : Il y a certains points que vous devrez régler.
- Balayer une cave : Affaire qui n'en vaut pas la peine.
- Balayer un appartement : Grand succès.
- Balayer à l'extérieur : Solitude, désespoir.

BALANCE :
- En voir une ou s'en servir : Vous serez jugé pour votre injustice.

BALANÇOIRE :
- En voir une: Indécision.
- Se balancer : Vous reviendrez sur votre décision.
- En tomber : Vous ferez un mauvais choix.

BALAYER :
Voir Balai.

BALCON :
- Voir ou être sur un balcon : Élévation ou augmentation de salaire.
- Tomber du balcon : Vous vous retrouverez en bas de l'échelle.

BALEINE :
Voir Poissons.

BALLE :
- Y jouer : Profit en affaires.
- En voir une : Chance à la loterie.

BALLET :
- En faire : Les projets bien préparés se terminent en beauté.
- Y assister : Déception, chagrin.

BALLON :
- En voir un : Avec le temps, vous vaincrez vos ennemis.
- Jouer au ballon : Réussite en affaires.

BANANE :
Voir Fruits et légumes.

BANC :
- En voir un ou s'y asseoir : Vie remplie d'amour.

BANDAGE :
- En avoir un : Risque de cancer.
- En faire un : Convalescence.

BANDEAU :
- Sur les yeux : Ne cachez pas vos sentiments, libérez-vous.
- Sur le front : Gardez vos idées bien en place.

BANDIT :
- En voir un : Vous serez témoin d'une injustice.
- En être un : L'injustice que vous avez commise hantera votre conscience.

BANJO :
Voir Musique.

BANNI :
- L'être : La peur peut vous influencer.
- Bannir quelqu'un : Il faut supporter ce qu'on ne saurait empêcher.

BANQUE :
- En voir une : Protégez votre richesse.
- Être dans une banque : Réussite dans vos entreprises.
- Déposer de l'argent à la banque : Économies bien placées.
- Retirer de l'argent à la banque : Dettes imprévues.

BANQUET :
- Retrouvailles ou association d'affaires.

BANQUIER :
Voir Travail.

BAPTÊME :
- Y assister : Un ami vous veut du bien.
- Être baptisé : Il est temps de faire un nouveau départ.
- Baptiser quelqu'un : Cette personne ne vous nuira jamais.

BAR :
- En voir un : Vous serez victime de vol.
- Y être : Mauvaises fréquentations.
- Y boire un verre : Rencontre sans lendemain.
- Y travailler : Vous ferez usage de la drogue.

BARBARE :
- En voir un : Il faut apprendre à s'adapter au milieu dans lequel on vit.
- En être un : Ne vous croyez pas invisible.

BARBE :
- Noire ou brune : Deuil, tristesse.

- Rousse ou rouge : Danger dans votre entourage.
- Blonde ou châtaine : Gain, profit.
- Bleue : Soyez moins dur avec les femmes.
- Se faire la barbe : Vous allez vous débarrasser de faux amis.
- La voir tomber : Grande perte.
- La voir pousser : Élévation, promotion.
- Se la faire tirer : On profite de vous.
- Raser une femme : Fiançailles, union.

BARBEAU :
Voir Insectes et reptiles.

BARBIER :
Voir Travail.

BARBOTTE :
Voir Poissons.

BARBOUILLER :
- Vous allez prendre le risque de perdre votre liberté en étant mêlé à une injustice.

BARIL :
- Plein : On ne parviendra pas à une situation avantageuse.
- Vide : N'espérez pas triompher par votre astuce.

BARMAN :
Voir Travail.

BARON(NE) :
- En voir : N'ayez pas peur on vous protège.
- En être un(e) : Vous aurez grand besoin de protection.

BARRAGE :
Voir Barrière.

BARRE :
- Être appelé comme témoin à la barre d'un tribunal : Espérance trompeuse.
- De fer : Il faut se garder de laisser trop de liberté au méchants.

BARREAUX :
- En voir ou se trouver derrière : Vous subirez une accusation.
- Les casser : Vous combattez votre phobie avec réussite.

BARRICADE :
- En voir une : Un obstacle peut être particulièrement dangereux lorsqu'il surgit à l'improviste.
- Se barricader : Solitude et désespoir.

BARRIÈRE :
- Ouverte : Vous avez le feu vert pour réaliser vos projets.
- Fermée : Vous n'êtes pas prêt pour avancer dans la vie.
- En franchir une : Vous avez fait un grand pas dans la vie.
- Infranchissable : Ce n'est qu'avec la persévérance qu'on arrive à ses buts.

BAS :
Voir Vêtements.

BAS-CULOTTE :
Voir Vêtements.

BASEBALL :
Voir Sports et loisirs.

BASILIC :
- Herbe : Chagrin vif.

BASKET-BALL :
Voir Sports et loisirs.

BASSE-COUR :
- La conclusion de votre travail acharné sera une réussite.

BASSIN :
Voir Anatomie.

BATAILLE :
- En voir une : Il vous sera difficile de continuer dans le droit chemin.
- La perdre : Il faut parfois apprendre à se mêler de ses affaires.
- La gagner : N'essayez pas de vous montrer supérieur à vos amis.

BATEAU :
Voir Transports.

BÂTIR :
- Une maison : Problèmes familiaux.
- Une église : Quand on n'est pas capable de tenir une promesse on ne promet rien.
- Une prison : Problème avec les autorités.
- Voir quelqu'un bâtir : Vous serez conscient du mal que vous aurez fait.

BÂTON :
- En voir un : On vous soutiendra dans tous vos projets.
- En casser un : Vous ne pouvez pas vous fier à vos amis.
- Se battre avec : On recevra une

leçon bien méritée.
- Se faire battre avec : On oublie vite la souffrance disparue.
- S'appuyer dessus : Un accident vous rendra infirme.

BÂTON DE BASEBALL :
- On retrouve dans la conduite d'un homme sa véritable nature.

BATTERIE :
- De cuisine : Vous jouez un peu trop avec le feu.
- L'instrument : Voir musique.

BATTEUR :
Voir Travail.

BATTRE :
Voir Bataille.

BAVER :
- Vous serez dégoûté par la sexualité.

BAVETTE :
- En porter une : Signe de mal-propreté.

BAZAR :
- En voir un : Vous serez confus dans vos idées.
- Y travailler : Vous êtes bon à marier.

BEAU-FRÈRE, BELLE-SŒUR :
- Voir un ou l'autre : Malentendu dans votre parenté.

BEAU-PÈRE, BELLE-MÈRE :
- Voir un ou l'autre : Dispute dans votre maison.

BÉBÉ :
- En voir un : Ne laissez pas votre esprit vieillir plus vite que votre corps.
- Le voir pleurer : Il vaudrait mieux vous habituer maintenant.
- En avoir un : Un de vos amis vous considère comme son protecteur.

BEC :
- En avoir un : Il est temps de voler de vos propres ailes.

BEDAINE :
- En avoir une : Grande peur.
Voir quelqu'un avec une bedaine : Cette personne profite de vous.

BÉGONIA :
Voir Fleurs.

BÊLEMENT :
- Entendre bêler : On abusera de votre innocence.

BELETTE :
Voir Animaux.

BÉLIER :
Voir Animaux.

BÉNÉDICTION :
- En recevoir une : Vous profitez d'une bonne protection.
- En donner une : Vous êtes estimé par vos amis.
- Voir un prêtre la donner : Longue vie remplie de joie.

BÉNÉVOLAT :
- En faire : Votre goût au travail vous promet de grands biens.

BÉQUILLES :
- En voir ou s'en servir : Risque de maladie.
- En casser : Vous échapperez à un accident de justesse.
- Voir quelqu'un d'autre s'en servir : Vous causerez du tort à un ami.

BERCEAU :
- Vide : Amour mystérieux, mais fidèle.
- Avec un bébé : On veut un enfant de vous.

BÉRET :
Voir Vêtements.

BERGER :
- En voir un : Vous ferez face à de grandes responsabilités.
- En être un : Un grand nombre de gens comptent sur vous.

BERMUDAS :
Voir Vêtements.

BESOIN :
- Être dans le besoin : Vous serez offensé.

BÊTE :
Voir Animal.

BETTERAVE :
Voir Fruits et légumes.

BEURRE :
- En voir : Présage d'abondance matérielle.
- En manger : Santé impeccable.
- En faire : Grand désir sexuel.

BIBERON:
- En voir un : Naissance dans votre famille:
- Boire au biberon : On ne vous juge pas à votre juste valeur.

BIBLE :
- En voir une : Avenir heureux.
- La lire une : Ne discutez d'un sujet dont vous ignorez tout.

BIBLIOTHÉCAIRE :
Voir Travail.

BICEPS :
Voir Anatomie.

BICYCLETTE :
Voir Sports et loisirs.
Voir Transports.

BIENS :
- Les voir brûler : Perte de toutes sortes.
- Se les faire voler : Grand chagrin.
- En acquérir : Vous ferez un achat très utile.

BIENFAITEUR :
- En être un : Il est parfois trop tard pour se racheter.
- En voir un : Vous serez victime d'une tromperie.

BIÈRE :
Voir Boisson.

BIJOUTIER :
Voir Travail.

BIJOUX :
- En or : Misère inattendue.
- En argent : Réussite en affaires.
- En perdre : Perte en amour.
- En posséder : Signe de lâcheté.

BIKINI :
Voir Vêtements.

BILE :
- Laissez votre sérieux de côté et amusez-vous.

BILLARD :
Voir Sports et loisirs.

BILLET :
- De loterie : Si vous vous souvenez du numéro, courez vite vous en procurer un semblable.
- De transport : Parfois il vaut mieux laisser tomber que de persévérer.
- En vendre ou en acheter : N'espérez pas la chance, elle n'est pas de votre côté.

BIOCHIMISTE :
Voir Travail.

BIOLOGISTE :
Voir Travail.

BISON :
Voir Animaux.

BLAGUE :
- En raconter une : Votre sens de l'humour vous réussira. S'en faire raconter : Vous êtes trop sérieux.

BLÂME :
- En recevoir un : On vous donnera raison.
- En infliger un : Vous recevrez un affront.

BLANC :
Voir Couleurs.

BLANCHISSERIE :
- Votre amour trop grand pourrait vous causer des problèmes avec la justice.

BLASPHÈME :
- En dire : On se sentira mal en votre compagnie.
- En entendre : Attention de ne pas aller dans un endroit mal fréquenté.

BLÉ :
- En voir : Abondance, vie heureuse.
- En cueillir : Vous récolterez des honneurs.
- En voir brûler : Perte financière.
- Être dans un champ : Beaucoup de portes s'ouvriront devant vous.

BLESSURE :
- Blesser quelqu'un : Dans la vie il n'y a pas que les mensonges.
- Voir une blessure : Mauvaise nouvelle qui vous causera de la tristesse.

BLEU :
Voir Couleurs.

BLEUET :
Voir Fruits et légumes.

BLONDE :
- Amour dans votre entourage.

BLOUSE :
Voir Vêtements.

BOCAL :
- Vide : Pauvreté.
- Plein : Profit.
- Être dans un bocal : Vous êtes trop renfermé.

BOEUF :
Voir Animaux.

BOIRE:
La possession vaut mieux que l'espérance.

BOIS :
- En voir : Épargnez, car plus tard vous aurez besoin de vos économies.
- En voir ou en faire brûler : Le complice est aussi coupable que l'auteur principal.
- En porter : Vous connaîtrez la faim.
- De cerf : Peur non fondée.
- Être dans un bois : Solitude, mélancolie.
- En fendre ou en scier : Votre côté constructif est excellent.

BOISSON :
- Alcool : Vous choisissez très mal vos amis.

- Gazeuse : Il est peut-être temps de laisser sortir le pétillant qui dort en vous. Vin : Vous ferez bientôt une connaissance.
- Eau : Vous êtes en accord avec vous-même.
- La renverser : Soyez prudent un danger vous menace.

BOÎTE :
- En voir une : Dépense inutile.
- Être à l'intérieur : Ne vous refermez pas sur vous-même.
- Remplie : Vous recevrez une bonne nouvelle.
- Vide : Événement imprévue et défavorable.
- De conserve : Il n'y a pas de honte à être pauvre.
- Aux lettres : Courrier imprévu.
- À pain : Surveillez votre santé.
- De nuit : Amis à redouter.

BOITEUX :
- En voir un : Une certaine personne a besoin de vos services.
- L'être : Retard dans vos affaires.

BOMBE :
- En voir une : Quelqu'un vous veut du mal.
- En lancer une : Pensez-y par deux fois avant d'agir.
- En regarder les dégâts : Le mal déjà fait va être très difficile à effacer.

BONBON :
- En voir : Désordre, Trouble, Tracasserie.
- En manger : Que Dieu vous protège !

BONHOMME DE NEIGE :
- En voir un : Sortie sportive.
- En faire un : Vous êtes manipulateur.

BORDEL :
- Échecs de vos démarches.

BOTTES :
- En voir : Certains fantasmes dorment en vous.
- En porter : Profits et gains.
- En acheter : Le bonheur ne s'achète pas.

BOSSU :
- L'être : Opinion mal placée.
- Voir un homme bossu : Succès dans la vie.
- Voir une femme bossue : Fâcheux présage, maladie.

BOUC :
Voir Animaux.

BOUCHE :
Voir Anatomie.

BOUCHER :
Voir Travail.

BOUCHERIE :
- En voir une : Événement tragique.

BOUCHON :
- Prenez des vacances et amusez-vous.

BOUCLE :
- D'oreille : Aventure dispendieuse.
- De ceinture : Vos désirs se réaliseront.
- De soulier : On se sent fatigué et on désire paresser.
- De cheveux : Amour infidèle.

BOUCLIER :
- En voir un : Un danger vous menace, protégez-vous.
- En porter un : Vous êtes intouchable.

BOUDDHA :
- En voir un : Vous serez impuissant face à vos ennemis.
- En être un : On vous respecte.

BOUE :
- Être dans la boue : Calomnie.
- En sortir : Fin d'une misère.

BOUÉE :
- On trouvera une bonne protection.

BOUFFON :
Voir Clown.

BOUGIE :
- Allumée : Longue vie.
- Éteinte : La mort.
- Cassée : Maladie.

BOULANGER :
Voir Travail.

BOULANGERIE :
- En voir une : Ne passez pas à côté de votre chance.
- Dans laquelle on se trouve : Chance, héritage.

BOULE :
- Situation instable.

BOULEAU :
Voir Arbre.

BOULEVARD :
- Longues heures d'ennui.

BOUQUET :
- En voir un : Laissez votre gêne de côté et foncez.
- En acheter un : Preuve d'attention.
- En donner un : Vous tomberez amoureux.
- En recevoir un : Amour de courte durée.
- Fané ou cassé : Séparation, rupture.

BOURDON :
- Commérage déplaisant.

BOURGEON :
- En voir : Naissance.
- Bourgeon fané : Faites un peu plus attention à votre apparence physique.

BOURREAU :
- En voir un : Faillite, ennui.
- En être un : Vous êtes peu loyal.

BOURSE :
- Pleine et fermée : Secret difficile à garder.
- Vide : Santé en péril.
- D'études : Préparez votre avenir.
- Institut financier : Vos manigances échoueront.

BOURSIER :
Voir travail.

BOUSCULADE :
- En voir une : Malentendu résolu.
- Se faire bousculer : Vous êtes trop possessif.

- Bousculer quelqu'un : Manque de liberté.

BOUSSOLE :
- En voir une ou s'en servir :
- Attention aux erreurs.
- En perdre une : Voyage embarrassant.

BOUTEILLE :
- En voir une : Fête, rencontre amicale.
- Pleine : Bonheur et gaieté.
- Vide : Problème de santé.
- Cassée : Peine d'amour.
- Contenant un message : Un ami aimerait bien se confier à vous.

BOUTIQUE :
- En voir une : Problèmes financier.
- En ruine : Période très dure à surmonter.
- Murée : Perte totale.
- Fermer : Affaire qu'il vous faudra recommencer.

BOUTON :
- En voir un : Argent qui dort.
- En coudre un : Vous ferez tout pour réussir.
- En perdre un : Infidélité, trahison.
- En avoir un ou plusieurs dans le visage : Vous aurez honte de votre maladie.
- Quelqu'un d'autre avec des boutons : Attention aux imperfections.
- De fleurs : Faveur obtenue qui vous causera bien des ennuis.

BOXE :
Voir Sports et loisirs.

BOXER (caleçons):
Voir Vêtements.

BRACELET :
- En voir un : Achat inutile.
- En porter un : Union probable.

BRACONNER :
- Votre abstinence vous jouera des tours.

BRACONNIER :
Voir Travail.

BRANCHES :
- D'arbre : Déception.
- Cassées : Trop de soucis.

BRAS :
Voir Anatomie.

BRASSERIE :
- Il faut s'attendre à du bien ou du mal, selon sa ligne de conduite.

BRAVOURE :
- Être brave : Faites le plein d'énergie, ça vous fera du bien.
- Voir quelqu'un de brave : Il faut peut-être que vous preniez les choses en main.

BREBIS :
Voir Animaux.

BRETZELS :
- En voir : La vie est pleine de petits plaisirs.
- En manger : Avec un peu d'effort, vous accomplirez ce que vous voulez.

BREVET :
- Vous devriez partager ces idées

que vous n'osez pas dévoiler, cela pourrait vous porter fruit.

BRIGADIER :
Voir Travail.

BRIOCHE :
- Vous serez invité à souper

BRIQUE :
- En voir : Projet immobilier très payant.

BRIQUET :
- En voir un ou s'en servir : Vous deviendrez possessif.
- Cassé ou vide : Vos projets ne se dérouleront pas comme prévus.

BRISER :
- Une chose : Bataille ou deuil.

BROCHE :
- En voir ou s'en servir : Votre prochaine paie pourrait être plus élevée que prévue.

BROCHET :
Voir Poissons.

BRODERIE :
- En voir : Une fortune vous attend.
- En faire ou en porter : Certaines gens ont une mauvaise opinion de vous.

BRONCHE :
Voir Anatomie.

BRONZE :
- Affaires stables, bon signe.

71

BROSSE :
- En voir une ou s'en servir : Vos ennuis achèvent.

BROUETTE :
- En voir une : L'argent ne tombe pas du ciel.
- En pousser ou en tirer une : Effort insurmontable.

BROUILLARD :
- En voir : Décision dificile à prendre.
- S'y perdre : Difficulté imprévue.

BROUTER :
- Éliminez votre peur.

BRUIT :
- En faire : Parlez de vos tracas, demandez conseil.
- En entendre : Signe de menace.

BRÛLER :
- Une chose : Vous perdrez quelque chose.
- Être brûlé ou se brûler : Défaut à corriger.
- Voir quelqu'un brûler : Peine et honte.

BRUN :
Voir Couleurs.

BRUTALITÉ :
- Désagrément très prochainement.

BUCHER :
- Vos idées sont bonnes, mais votre entourage n'est pas nécessairement de votre avis.

BUFFET :
- Début d'une vie confortable.

BUFFLE :
Voir Animaux.

BUIS :
- En voir : L'aide que vous recevrez sera bien appréciée.

BUISSON :
- En voir : Cachotterie, amusement.
- S'y cacher : Secret honteux.
- En couper : Secret dévoilé.
- Voir quelqu'un s'y cacher : Attention aux hypocrites.
- En fleurs : Bonheur et joie.
- Épineux : Mauvaise fréquentation.

BULLE :
- En voir : Le plaisir avant tout, mais attention il n'y a pas que ça.
- En faire : Ne vous faites pas de fausses joies, cela pourrait être très décevant.

BUREAU :
- En voir un : On déplore un manque d'effort dans votre travail.
- Postal : Vous recevrez une nouvelle ou une somme d'argent que vous attendez depuis longtemps.

BUT :
- Faire un tir au but : Vous aurez le dessus sur tous ceux qui vous en veulent.
- Marquer un but : Faites de l'exercice physique pour relâcher l'agressivité et la haine que vous gardez en vous, car elle pourrait se retourner contre vous.

Voir Alphabet.

CABARET :
- En voir un : Aventure déprimante.
- Être dans un cabaret : Infidélité, tromperie.
- Être refusé à l'entrée : Soignez un peu votre apparence.

CABINE :
- Téléphonique : Discrétion en amour.
- De bateau : Voyage avec votre conjoint.

CABINET :
- De travail : Vous dépenserez inutilement votre énergie.
- D'aisance : Graduation et rémunération.

CÂBLE :
- Succès très durement gagné.

CABOCHARD :
- En voir un : Méfiez-vous des imposteurs.
- L'être : Vous êtes rusé comme un renard.

Cacahuètes :
- En voir ou en manger : Vous êtes en manque de sexualité.

CACATOÈS :
Voir Oiseaux et volailles.

CACHALOT :
Voir Poissons.

CACHE-CACHE :
- Y jouer : Secret provocant.
- Voir d'autres personnes y jouer : Contrariété, tracas.

CACHEMIRE :
- En voir ou en avoir : Vous ne méritez pas votre luxe.

CACHE-NEZ :
- Un de vos amis est très malpropre.

CACHE-OREILLES :
Voir Vêtements.

CACHE-SEXE :
- Nuit follement agitée à venir.

CACHET :
- Ne révélez pas vos secrets.

CACHETTE :
- En chercher une : Vous éprouverez une très grande honte.
- Se cacher : Quelqu'un a des reproches à vous faire.
- Cacher quelque chose : Découverte importante.

CACHOT :
- Dieu est avec vous.

CACHOU :
- Relation amoureuse existante.

CACTUS :
- En voir : Un danger vous menace.
- S'y piquer : Vous serez harcelé par vos rivaux.
- Voir quelqu'un s'y piquer :
- Ne soyez pas trop agressif.

CADAVRE :
Voir Mort.

CADEAU :
- En voir ou en recevoir un : Déception douloureuse.
- En offrir un : Joie et prospérité.
- En acheter un : Ne vous découragez pas, un jour vous réussirez.
- En voir sous un arbre de Noël : Joyeuse rencontre familiale.

CADENAS :
- En voir un : Mêlez-vous de vos affaires.
- En avoir un : Soyez discret.

CADET :
- Élève, officier : Vous voulez, mais vous ne pouvez pas.
- Cadet de la famille : Vous êtes considéré comme un enfant.

CADRE :
- En voir un : Ne traitez pas votre partenaire comme un simple objet.
- Voir une exposition : Vous aurez une grosse famille.
- Le voir croche ou le décrocher : Fin d'un grand amour.

CAFARD :
Voir Insectes et reptiles.

CAFÉ :
- En voir ou en boire : Transaction favorable.
- Au lait : Vous vous débarrassez de certains amis.
- Cognac: Intrigue déjouée.
- Noir: Stress, incertitude.

CAFÉTÉRIA :
- En voir une ou s'y trouver : Routine ennuyeuse.
- Y manger : Plaisir comme dans le temps.

CAFETIÈRE :
- En voir ou s'en servir : Problème d'ordre psychologique.

CAGE :
- Avec un ou des oiseaux : Amour possessif.
- Vide: Séparation cruelle.
- Être dans une cage : Vous serez pris sur le fait.

CAGE THORACIQUE :
Voir Anatomie.

CAGOULE :
Voir Vêtements.

CAHIER :
- De classe : Angoisse à propos d'un travail qui peut vous rapporter le succès.

CAILLOUX :
Voir Pierre.

CAISSE :
- Pleine : Voyage gagné durement.
- Vide: Profonde douleur.
- En bois : Encouragement inutile.

CAISSIER :
Voir Travail.

CALCUL :
- En faire : Prochainement vos espoirs se réaliseront.

CALCULATRICE :
- En voir une ou s'en servir : Vous vaincrez en trichant.

CALÈCHE :
Voir Transport.

CALENDRIER :
- Si vous avez remarqué une date précise : Voir Jours et mois.
- Voir un calendrier : Il est temps d'entreprendre vos projets.

CALER :
- Paie que vous n'attendiez plus.

CALICE :
- En voir un : Vous devriez peut-être aller vous confesser.
- Boire dans un calice : Bonté, sagesse.

CÂLIN :
- En faire un : Beaucoup d'amour à donner.
- En recevoir un : Vous manquerez d'affection.

CALME :
- Être calme : Votre manque de précaution vous fera souffrir.

CALMANT :
- En prendre : Fin d'une épreuve.
- En administrer : Situation embarrassante.

CALORIFÈRE :
- En voir un : Vie paisible.
- S'y brûler : Tourment, inquiétude.

CALQUER :
- Vous êtes très influençable.

CALUMET :
- En voir un : Vous devriez vous contrôler.
- En fumer un : Avenir prometteur.

CALVITIE :
- Pour un homme : Perte de virilité.
- Pour une femme : Perte d'estime de soi.

CAMARADE :
Voir Ami.

CAMELOT :
Voir Travail.

CAMÉRA :
- En voir une : Vous êtes espionné.
- L'utiliser : Mêlez-vous de ce qui vous regarde.

CAMERAMAN :
Voir Travail.

CAMISOLE :
Voir Vêtements.

CAMION :
Voir Transports.

CAMION DE POMPIER :
Voir Transports.

CAMIONNEUR :
Voir travail.

CAMPAGNARD :
- En voir un : Vous ne suivez pas la bonne voie.
- En être un : Orientation différente.

CAMPING :
- En voir un : Changement imprévu.
- Y camper : Délivrance, résolution de vos problèmes

CAMPUS :
- Vous réussirez vos études.

CANAL :
- En voir un : Avenir incertain.
- Tomber dedans : Faillite personnelle.
- En voir un déborder : Surplus, extra, profit.

CANAPÉ :
- En voir un : Tentations intrigantes.
- S'y mettre à l'aise ou s'y endormir : Votre inconscience vous nuira.

CANARD, CANARI :
Voir Oiseaux et volailles.

CANAUX :
Changer de canaux : Changement radical.

CANCAN :
En entendre : Vous serez trahi.
En dire : Honte et mensonge.

CANCER :
- En avoir un : Quelqu'un cherche à vous démolir psychologiquement.
- Du sein : Timidité, hésitation.
- Du foie : Vous exagérez pour tout.
- Généralisé : Tout ce qui vous concerne est désolant.
- Des poumons : Vous fumez peut-être trop.

CANDIDAT :
- L'être : Vous ne pouvez pas tout avoir.
- En voir un : Quelqu'un veut s'emparer de vos biens.

CANNE :
- Pour marcher : Fausses illusions, tromperies.
- À sucre : Sensualité bien cachée.

CANNELLE :
- Assaisonner de cannelle :
- Noblesse, joie immense.

CANNETTE :
- D'eau gazeuse : Lettre d'un ami.
- De bière : Il est parfois difficile d'oublier.

CANOË, CANOT :
Voir Sports et loisirs.

CANON :
- En voir un : Crainte, peur intense.
- En entendre un : Événement désastreux.
- En utiliser un : Liberté, réussite.

CANTALOUP :
Voir Fruits et légumes.

CANTIQUE :
- En entendre un : Inspiration profonde.
- En chanter : Risque d'infirmité.

CAOUTCHOUC :
- Vous vaincrez vos adversaires.

CAP :
- Changer de cap : Nouvelle orientation sexuelle.

CAPE :
- En voir ou en porter une : Vraie personnalité cachée.

CAPITAINE :
- En voir un : Manque de courage.
- En être un : Bravoure, courage.

CAPORAL :
- En voir un ou lui parler : Vous ne pouvez réussir à vous seul.
- En être un : Ambition, projet à venir.

CAPOT :
- De voiture : Soutien financier accordé.
- L'expression tomber sur le capot : Énervement, souci.

CAPOTE :
Voir Condom.

CAPRICE :
- Être capricieux : Réalisation d'un désir.
- Voir quelqu'un de capricieux : Ami dont vous prendriez bien congé.

CAPTURER :
- Se faire capturer : Vous êtes un peu paranoïaque.
- Quelqu'un : Solitude, ennui.
- Un voleur ou un bandit : récompense, gratitude.

CAPUCHON :
- En voir ou en mettre un : Vous serez aimé pour le bien et pour le mal.

CAPUCINE :
- Plante, fleur : Douce harmonie conjugale.

CARABINE :
Voir Arme.

CARACTÈRE :
- Bon : Si vous voulez, vous réussirez.
- Mauvais : Vous aurez besoin d'aide.
- Gros caractères d'écriture : Incompréhension, mauvaise entente.

CARAFE, CARAFON :
- Plein(e) : Grand amour.
- Vide : Pénurie d'argent causée par de folles dépenses.

CARAMBOLAGE :
- En voir un : Vos ennemis prendront du recul.
- En causer un : Votre obstination cause du désagrément.
- Être impliqué dans un carambolage : Recul dans les affaires.

CARAMEL :
- En voir ou en manger : Gâterie, gourmandise.

CARAPACE :
- Voir une carapace de tortue : Rapidité, conclusion.
- En avoir une : Vous êtes un peu lent en tout.

CARBONE :
- En voir : Vous êtes très influençable.
- En utiliser : Certaines personnes aimeraient bien vous ressembler.

CARBURANT :
- En acheter : Vacances possibles.
- Remplir une auto : Randonnée, promenade.
- Prix élevé : La vie vous ennuie.
- Prix minime : Joie de vivre.

CARBURATEUR :
- En voir un : Manque d'énergie.
- En changer un : Service que vous devriez rendre.

CARDIAQUE :
- En être un : Vous causerez du chagrin.
- Voir un cardiaque : Vous vivrez une peine d'amour.

CARDINAL :
- En voir un : Perte de confiance.
- En être un : Dignité, honneur.

CARESSE :
- En donner : Affection partagée, bonheur.
- En recevoir : Jouissance personnelle.

CARIBOU :
Voir Animaux.

CARICATURE :
- En faire ou en voir une : Vous vous trompez à propos de quelqu'un.
- Voir quelqu'un en faire ou voir sa propre caricature : Vous avez l'air plus méchant que gentil.

CARICATURISTE :
Voir Travail.

CARIE :
- En voir : Manque d'attention et de soins.
- En avoir : Vous serez ridiculisé.

CARNAGE :
- En voir un : Perte douloureuse.
- En faire un : Vous n'êtes pas immortel.

CARNAVAL :
- En voir un : Joie suivie de perte.
- Y participer : Aventure excitante.

CARNIVORE :
- En voir un : Joie immense, prospérité.
- En être un : Richesse, fortune.

CAROTTE :
Voir Fruits et légumes.

CARPE :
Voir Poissons.

CARPETTE :
Voir Tapis.

CARRÉ :
- Aucune ouverture dans votre domaine.

CARREAU :
- Propre : Mariage soudain.
- Sale : Fin d'une union ridicule.

CARREFOUR :
- Vide : Annulation, suppression.
- Rempli de gens : Vous devriez la prendre cette fameuse décision.

CARROSSE :
- Voir un carrosse de bébé : Votre mère vous aidera.

- En pousser un : Vous êtes trop attentionné.

CARROUSEL :
- En voir un : Souvenir de jeunesse.
- En faire un tour : Fantasme irréalisable.

CARTABLE :
- En voir ou en utiliser un : Bonne instruction.

CARTE (jeu) :
Les cartes, que ce soit en rêve ou dans la vie, ont pratiquement la même signification. Notez que si le symbole sur la carte est renversé, sa définition l'est tout autant. Par exemple : si dans votre rêve vous apercevez un neuf de pique à l'endroit, cela signifierait que votre lenteur sera catastrophique, mais s'il est renversé, autrement dit à l'envers, cela voudrait dire que, votre lenteur vous sera utile ou que votre rapidité en affaires ou en amour sera gratifiante. Les cartes sont souvent très révélatrices. Alors, il est important de soigneusement les étudier.

- En voir ou jouer avec :
  Risque de perte.

- Tricher et se faire prendre :
  Soyez plus sûr de vous.

- Couper un jeu de cartes :
  Changement d'orientation.

- Jouer et gagner :
  Chance à venir.

- Jouer et perdre :
  Malchance et chagrin.

- Voir un joker :
  Visage à deux faces.

- Cartes inférieures à sept :
  Plus elle est basse moins la réussite sera bonne.

- Tirer aux cartes :
  Un ami a besoin de vos conseils.

- Se faire tirer les cartes :
  Inquiétude, incertitude.

- Prendre quelqu'un à tricher :
  Vous êtes trop paranoïaque.

- Tricher sans se faire prendre :
  Vos conseils ne seront utiles à personne.

- AS :
  CŒUR : Joie, réunion.
  CARREAU : Lettre, message.
  TRÈFLE : Richesse, profit.
  PIQUE : Tracas, ennui.

- ROI :
CŒUR : Homme blond, loyal mais exigeant.
CARREAU : Amitié avec un homme venu d'ailleurs.
TRÈFLE : Homme juste et sincère qui vous aidera.
PIQUE :Homme de loi qui vous nuira.

- DAME :
CŒUR : Femme blonde se dévouera pour vous.
CARREAU : Jeune femme blonde vous causera du chagrin.
TRÈFLE : Femme brune vous protégera.
PIQUE : Femme triste et délaissée vous ennuiera.

- VALET :
CŒUR :Jeune homme blond et serviable vous sera utile.
CARREAU : Jeune homme mal élevé ou lettre du facteur.
TRÈFLE : Jeune homme brun très amoureux.
PIQUE : Jeune homme dont vous devriez vous méfier.

- DIX :
CŒUR : Grande révélation, triomphe.
CARREAU : Changement d'air ou voyage.
TRÈFLE : Grand profit ou grande richesse.
PIQUE : Déception et refus.

- NEUF :
CŒUR : Victoire, réunion familiale.
CARREAU : Contrariété, retard en tout.
TRÈFLE : Amour mérité, petit profit.
PIQUE : Votre irresponsabilité sera catastrophique.

- HUIT :
CŒUR : Fiançailles, vie heureuse.
CARREAU : Routine, on vous surveille.
TRÈFLE : Toutes démarches seront bénéfiques.
PIQUE : Bonheur, aisance assurée.

- SEPT :
CŒUR : Mariage, retrouvailles.
CARREAU : Naissance, cancans.
TRÈFLE : Timidité, petit gain.
PIQUE : Tourment passager, petits ennuis.

CARTE BLANCHE :
- Avoir carte blanche : Liberté d'agir et de s'exprimer.

CARTE GÉOGRAPHIQUE :
- Voyage en perspective.

CARTE DE VISITE :
- En donner : On vous connaît mieux que vous pensez.
- En recevoir : Quelqu'un veut vous entraîner.

CARTE POSTALE :
- En voir, en lire ou en recevoir une : Soyez plus craintif.
- En envoyer une : Obligation à suivre.

CARTOMANCIEN :
Voir Travail.

CARTOUCHE :
- De cigarettes : Cancer du poumon pour vous ou pour un proche.
- De fusil : Vous gagnerez grâce à votre prévention.

CASCADES :
- D'eau : Laissez parler, ensuite agissez.
- Faire des cascades : Accident imprévu.
- Voir quelqu'un en faire : Vous risquerez votre vie inutilement.

CASE OU CASIER :
- En voir ou en utiliser un(e) : Secret dévoilé.

CASERNE :
- De pompiers : Vous aiderez un défavorisé.

CASINO :
- S'y trouver ou y jouer : Le respect ne s'achète pas, il se mérite.
- Gagner : Vous manquerez de respect envers quelqu'un.
- Perdre : Bénéfice intéressant.

CASQUE :
- En voir un : Vous osez demander de l'aide.
- En porter un : On vous offrira une protection.
- Voir quelqu'un avec un casque : Quelqu'un protège vos adversaires.

CASQUETTE :
Voir Vêtements.

CASSER :
- Quelque chose : Remords de conscience.

CASSE-CROÛTE :
- En voir un ou y manger : Satisfaction, contentement.
- Fermé : Travail difficile.
- Ouvert : Vie confortable.

CASSE-NOISETTES :
- En voir un ou l'utiliser : Il vous faudra travailler dur pour réussir.

CASSEROLE :
- Pleine : Vous êtes tant aimé.
- Vide : Vous aurez le sentiment d'être délaissé.
- Sale : On se défait de vous.
- L'utiliser : Dure épreuve de la vie.

CASSE-TÊTE :
- En faire ou en voir un : Inquiétude, tracas.
- Un difficile : Il sera ardu de vous racheter.
- Un facile : Problème facile à résoudre.

CASSETTE :
- Vidéo : Laissez le passé, pensez au futur.
- Audio : Surveillez vos paroles.

CASSONADE :
- En voir ou en utiliser : Situation étouffante.
- En manger : Vice caché, défaut.

CASTAGNETTES :
Voir Musique.

CASTOR :
Voir Animaux.

CASTRER :
- Être ou se faire castrer : Fin d'un rêve ou d'un désir.
- Castrer quelqu'un : Jalousie, méchanceté.
- Voir quelqu'un se faire castrer : Vous serez dominé.

CATALOGUE :
- En regarder un : Conseils précieux.

CATASTROPHE :
- Vous jouerez-le tout pour le tout.

CATHOLIQUE :
- En voir un : Nécessité de vous distraire davantage.
- L'être : Passion passagère.
- Ne pas l'être : Aucun but dans la vie.
- Voir quelqu'un qui ne l'est pas : Ennemis redoutables

CAUSEUSE :
- En voir une : Désir incertain.
- S'y mettre à l'aise on s'y endormir : Ne soyez pas ridicule.

CAUTION :
- En verser une : L'amitié ne s'achète pas.
- S'en faire verser une : Promesse d'amour fidèle.
- Caution impayable : L'argent ne fait pas le bonheur mais ça aide.

CAVALERIE :
- La voir ou l'entendre : Virilité étonnante.

- Être soutenu par la cavalerie : Ne comptez que sur vous-même.

CAVALIER :
- En voir un :Protection non désirée.
- En être un : Bravoure et succès.

CAVE :
- Être dans une cave : Féminité, que vous soyez homme ou femme.
- Cave à vin : Affaire fructueuse.
- De pierres : Compagnie en expansion.
- De terre : Vous êtes le seul responsable de vos malheurs.

CAVERNE :
- Voir ou être dans une caverne : Gardez votre discrétion.
- En creuser une ou y habiter : Décès d'une connaissance proche.
- Homme des cavernes : Rengaine, vieux jeux.
- Sortir d'une caverne : Situation nouvelle et meilleure.
- Être enfermé dans une caverne : Tracas dont vous ne pourrez vous débarrasser.

CAVIAR :
- En voir ou en manger : Soirée érotique et émotive.

CEINTURE :
Voir Vêtements.

CÉLÉBRATION :
- Célébrer : Hommage flatteur.
- Voir d'autres personnes célébrer: Vous vous sentirez exclu.

CÉLÉBRITÉ :
- En voir une : Désespoir, dépression.
- En être une : Gloire durement gagnée.

CÉLERI :
Voir Fruits et légumes.

CÉLIBATAIRE :
- En voir un : Tromperie, infidélité.
- En être un : Vous souhaitez sûrement divorcer.

CELLOPHANE : (papier)
- En voir ou s'en servir : Manque de liberté.

CELLULAIRE :
- Téléphone : Avenir agité et plein de surprises.

CELLULE :
Voir Anatomie.

CENDRE :
- En voir ou en toucher : Un passé troublant que vous n'oublierez jamais.

CENDRIER :
- En voir un : Pensez donc un peu à vous.
- S'en servir : Signe de propreté.
- Plein : Soignez un peu plus votre image.
- Vide : Bon entretien de soi.

CENTRALE :
- Électrique : Excitation soudaine.
- Nucléaire : Exaltation exagérée.

CÉRAMIQUE :
- Bibelot : Vous recevrez un cadeau.

- En casser: Vous êtes un brise-cœur.

CERCEAU OU CERCLE :
- En voir un : Endurance à toute épreuve.
- Se trouver au centre de celui-ci :
- Vous retrouverez votre équilibre.

CERCUEIL :
Voir Tombe, tombeau.

CÉRÉALE :
- En voir ou en préparer : Plus il y en a, plus le succès sera gros.
- En voir un champ : Esprit combatif.
- En manger : Compréhension, solidarité.

CÉRÉMONIE :
- Victoire suivie de désagrément.

CERF :
Voir Animaux.

CERF-VOLANT :
- En voir un dans le ciel : Illusion de bonheur.
- En faire voler un : Vous abandonnerez tout pour l'être aimé.
- Être incapable de le faire voler : Manque d'amitié.

CERISE :
Voir Fruits et légumes.

CERISIER :
- En voir un : Fin des problèmes, défaut des beaux jours.
- Y grimper : Ne soyez pas l'esclave de vos remords.

CERNE :
- Autour du bain : Attente inutile.
- Du lavabo : Dévouement, conclusion.
- En laver : Vous vous déferez de vos obligations.

CERTIFICAT :
- En recevoir un : Chagrin passager.
- De naissance : Vos parents vous cachent quelque chose.
- D'authenticité : Certaines personnes ont une mauvaise opinion de vous.

CERVEAU :
Voir Anatomie.

CÉSAR (Jules) :
- Le voir ou lui parler : Graduation ou augmentation.
- L'être : Vous serez dominé.

CÉSARIENNE :
- En subir une : Tourment, inquiétude.
- Voir une femme en subir une : Naissance sans complication.

CESSEZ-LE-FEU :
- Le respecter : Une personne exerce sur vous une influence douteuse.
- Ne pas le respecter : Goût du risque et de l'aventure.

CHACAL :
Voir Animaux.

CHAGRIN :
Voir Tristesse.

CHAÎNE :
- En porter une : Petite peine.
- En or : Bonheur et bienfaisance.
- En argent : Vieillesse longue et paisible.
- Être attaché avec une chaîne : Vous êtes trop craintif.
- Attacher quelqu'un ou quelque chose avec une chaîne : Ennuis.
- En briser une : Délivrance.

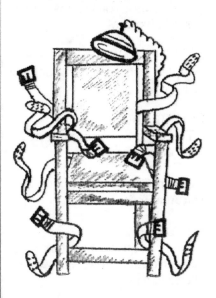

CHAIR :
Voir Anatomie.

CHAISE :
- En voir une : Il est temps de vous reposer.
- S'y asseoir : Repos non mérité.
- Berçante : Bonheur et joie conjugale.
- Tomber de sa chaise : Rupture pour cause de manque de confiance.

CHALET :
- En voir un ou y habiter : Grand besoin de déménager.

CHALEUR :
- Trop intense : Union trop possessive.
- Manquer de chaleur : Très peu de sensualité.
- Avoir chaud : Ne vous laissez pas impressionner.
- S'il faisait chaud : Atmosphère déplaisante.

CHALOUPE :
Voir Transport.

CHALUMEAU :
- Drôle de façon de prouver votre amour.

CHAMBRE :
- D'hôtel : Dépenses folles.
- Vide: Vivre sans affection.
- Occupée : Vous ennuierez certaines personnes.
- Des maîtres : Autorité conjugale.
- Être dans sa chambre : Grosse déception.
- En désordre : Désordre dans votre vie amoureuse.
- Voir une femme de chambre : Conflit imprévu.
- Être une femme de chambre : Quelqu'un vous veut du bien.
- Chambre noire : Vous êtes espionné.

CHAMEAU :
Voir Animaux.

CHAMP :
- En voir un : Acquisition surprenante.
- À perte de vue : Patience, envie difficile à contrôler.
- Fleuri ou de blé : Fortune, gain intéressant.
- Cultivé, labouré ou moissonné : Vos passions devront attendre.
- De bataille : Ne vous fiez pas aux apparences.
- De course : Vous serez devancé.

CHAMPAGNE :
- En voir ou en boire : Vous avez besoin de vous amuser.

CHAMPIGNON :
Voir Fruits et légumes.

CHAMPION :
- En voir un : Vos espérances se réaliseront plus tard.
- En être un : Embarras, honte.

CHAMPIONNAT :
- Y assister : Objectif atteint. Y participer : Espoir irréalisable.

CHANCE :
- En avoir : Quelqu'un vous admire.
- Ne pas en avoir : Amitié non partagée.

CHANDAIL :
Voir Vêtements.

CHANDELIER :
- En voir un : Rentrée importante d'argent.
- En or : Prospérité, abondance.
- En argent : Vous avez un très grand charme.

CHANDELLE :
- En voir ou en allumer une : Longue vie assurée.
- En regarder une brûler et fondre : Mort que vous regretterez.

CHANSON :
- En entendre une : Gaieté, joie.
- En composer une : Bonne orientation.
- En faire jouer une : Rémunération, argent.

CHANT, CHANTER :
- Vous chantez : Ne vous découragez pas.
- Entendre chanter : Récompense tant attendue.
- Être incapable de chanter : On vous observe de très près.
- Chant d'oiseaux : Votre grand cœur vous mènera au bonheur.
- Chant de chorale : Ami sincère et fidèle.
- Chanter sous la douche : Harmonie familiale.
- Chanter faux : Vous aviez été prévenu.

CHANTAGE :
- En faire : Domination destructive.
- En entendre : Attention aux grandes langues.

CHANTEUR :
Voir Travail.

CHANTIER :
- En voir un : Ressaisissez-vous.
- Être sur un chantier de construction : Vous ralentissez les affaires d'autrui.

CHAPEAU :
- En voir ou en porter un : Flatteries, taquineries.
- Trop petit : Bonne position sociale.
- Trop grand : Mauvaise position sociale.
- Neuf : La chance vous sourira.
- Usagé : Vous perdrez beaucoup.
- Voir quelqu'un en porter un : Sentiments déloyaux.
- Lever ou voir quelqu'un lever son chapeau : Signe de respect et de bonté.
- À plume : Vous serez honoré.
- De paille : Une tromperie vous fera tout abandonner.- Chapelet :
- En voir un : Vous avez besoin d'être réconforté.
- En dire un : Bonne coutume.

CHAPELLE :
- En voir une : Satisfaction et bien-être.
- Y prier : Allez jusqu'au bout de vos idées.

CHAPERON :
- Petit chaperon rouge : Un méchant monsieur vous surveille.

CHAPITEAU :
- Vous serez misérable.

CHAPITRE (livre) :
- En commencer un : Nouveau travail.
- En terminer un : Perte d'emploi ou de revenu.

CHAR :
- D'assaut : Guerre que vous pourriez éviter.
- Téléguidé : Vous dirigerez une

entreprise.
- De collection : Vous n'impressionnez personne.
- Allégorique : Courtoisie, gentillesse.
- À bœuf : Vous risquez la paralysie.

CHARPENTIER :
Voir Travail.

CHARIOT, CHARRUE, CHARRETTE :
- Triomphe sur tous les plans.

CHARADE :
- En voir ou en faire une : Vous êtes incompris.
- En résoudre une : Vous découvrirez des secrets.

CHARBON :
- En voir ou en utiliser : Vous aurez des regrets.
- S'y brûler : Vous êtes un peu trop prétentieux.

CHARCUTERIE :
- Vous gagnerez la confiance d'autrui.

CHARGEUR :
- De piles : Énorme manque d'énergie.

CHARITÉ :
- Demander la charité : Chance ratée.
- Se faire demander la charité : On aura besoin de votre aide.

CHARMANT :
- L'être : Ingratitude, aucun respect.

- Voir quelqu'un de charmant : Amour agréable.

CHASSE :
Voir Sports et loisirs.

CHASSE-NEIGE :
- Aisance, goût de la vie.

CHASSEUR :
Voir Travail.

CHÂSSIS :
- D'une fenêtre : Vous regretterez votre geste.

CHAT :
Voir Animaux.

CHÂTEAU :
- En voir un ou y habiter: Vos désirs se réaliseront.
- En voir un en ruines: Souffrance, peine.

CHÂTIMENT :
- Votre famille souffrira énormément.

CHATOUILLES :
- Se faire chatouiller : On vous divertira.
- Chatouiller quelqu'un : Sociabilité, respect.

CHAUDRON :
- En voir ou en utiliser un : Indécision, tracas.
- Plein : Satisfaction permanente. Vide : Perte considérable.

CHAUFFAGE :
- L'augmenter : Augmentation de tension.
- Le réduire : Relaxation, repos.

CHAUFFE-BIBERON :
- Quelque chose d'inespéré se produira.

CHAUFFEUR : (autobus, taxi, train) Voir Travail.

CHAUSSÉE :
- Glissante : Le malheur peut vous frapper en tout temps.

CHAUSSETTE (pantoufle) :
- En voir ou en porter : Tout ira bien pour vous.
- En mettre : Attention où vous mettez les pieds.
- En enlever : Perte de confort.
- En tricoter : Vacances bien planifiées.

CHAUSSON :
- En voir : Vous ne méritez pas cette misère.
- En manger : Dépenses coûteuses.

CHAUSSURES :
- En voir ou en porter : Votre but sera atteint.
- En mettre : Un événement fâcheux vous procurera des avantages.
- En enlever : Vilaine habitude.
- En acheter : Nouveau départ.
- Trouées ou très vieilles : Vous en avez assez fait.
- En perdre ou ne pas en avoir : Annulation, abandon.
- Trop petites : Votre partenaire est très possessif.
- Trop grandes : Faites chaque chose en son temps.

CHAUVE :
- En voir un : Bientôt vous serez respecté.
- L'être : Vous gagnerez votre cause d'une façon illégale.

CHAUVE-SOURIS :
Voir Animaux.

CHAVIRER :
- Avec un bateau : Vous allez tout perdre.

CHEF D'ENTREPRISE :
Voir Travail.

CHEF D'ORCHESTRE :
Voir Travail.

CHEMIN :
- De pierres : Avenir difficile.
- De terre : Triste vie.

- Dans les bois : Inquiétude, tracas.
- En suivre un : Ne vous découragez pas.
- Marcher sur le bord du chemin : Méfiance, contradiction.
- Perdre son chemin ou le trouver : Problème difficile à résoudre.

CHEMIN DE FER :
- En voir ou traverser une voie ferrée : Réalisation d'une promesse.

CHEMINÉE :
- En voir une : Désir que vous n'osez réaliser.
- Sale : Fantasme dégoûtant.
- Propre : Événement étonnant.
- Pénétrer à l'intérieure : Joyeuse rencontre.
- En voir une en feu : Profit net.

CHEMISE, CHEMISIER :
Voir Vêtements.

CHÊNE :
- En voir un : Puissante protection.
- Y grimper : Victoire, gain.
- Voir des planches de chêne : Énormes désagréments.

CHENILLE :
Voir Insectes.

CHÈQUE :
- En voir un ou un carnet : Soyez plus audacieux en affaires.
- En recevoir un : Vous êtes bien placé financièrement.
- En attendre : Inquiétude, incertitude.
- En donner un : Générosité envers les démunis.
- En perdre un : Richesse non méritée.

CHERCHER :
- Quelque chose : Dégâts et pertes considérables.
- Quelqu'un : Vous perdrez cette personne.

CHEVAL :
Voir Animaux.

CHEVEUX, CHEVELURE :
- Se laver les cheveux : Sans rancune.
- Cheveux longs : Joie de courte durée.
- Cheveux courts : Petit accident.
- Dépeignés, sales ou mêlés : Désordre, embarras.
- Les perdre ou les faire couper : Diminution de fortune.
- Bruns ou noirs : Vous êtes aimé passionnément, à la folie.
- Blonds ou châtains : Fidélité et sincérité.
- Gris : Vous êtes quelqu'un de confiance.
- Roux : Bonheur passager.
- Blancs : Naissance d'un garçon, amitié.
- Frisés ou bouclés : Envie de caresse.

CHEVILLE :
Voir Anatomie.

CHÈVRE :
Voir Animaux.

CHEVREUIL :
Voir Animaux.

CHIC :
- L'être : Vous méritez mieux que ça.
- Voir quelqu'un de chic : Vous discuterez avec un vantard.

CHICANE :
- En voir une ou y être mêlé : Défaut à corriger.
- En partir une : Problème de personnalité.

CHIEN :
Voir Animaux.

CHIMIQUE :
- Voir des produits chimiques ou en utiliser : En route vers l'inconnu.

CHIMISTE :
Voir Travail.

CHIMPANZÉ :
Voir Animaux.

CHIPS :
- En voir ou en manger : Divertissement, bon temps.
- En acheter : Sortie intéressante.

CHIRURGIE :
- Déséquilibre mental.

CHIRURGIEN :
Voir Travail.

CHLAMYDIA :
- Être infecté : Vous êtes trop facile.
- Voir quelqu'un d'infecté : Compagnon pervers.

CHOC :
- Nerveux : Vous serez mis à part.

CHOCOLAT :
- En voir ou en manger : Plaisir, jouissance.
- Chocolat blanc : Amour trompeur.
- En donner : Amour incontrôlable.
- En recevoir : Vous êtes très aimé.

CHOIX :
- Avoir un choix à faire : Bon placement.
- En faire un bon : Gros investissement.
- En faire un mauvais : Placement peu payant.

CHÔMAGE :
- Attendre son chèque : Vie ennuyeuse.
- Être au chômage : Travail mal exécuté.

CHOQUER :
Voir Colère.

CHORALE :
- Tentative de rapprochement.

CHORÉGRAPHIE :
- En voir une : Certaines personnes vous sont dévouées.
- En pratiquer ou en composer une : Travail acharné.

CHORISTE :
Voir Travail.

CHOUCHOU :
- En être un : Vous êtes égoïste.
- Voir quelqu'un l'être ou en avoir un : Tout le monde a ses préférences.

CHOUX :
Voir Fruits et légumes.

CHRÉTIEN :
- En voir un ou plusieurs : Amis différents.
- L'être : Bonne foi et bonne volonté.
- Ne pas l'être : Dégoût de la vie.

CHRIST :
- Le voir : Ceci est pour vous avertir qu'il vous surveille en tout temps.

CHROME :
- En voir : Vous êtes saint et sans reproche.

CHRONIQUE :
- En voir ou en entendre une : Soyez attentif aux détails.
- En diffuser une : Parlez et vous serez écouté.
- Malade ou problème chronique : Prompt rétablissement.

CHRONOMÈTRE :
- En voir ou s'en servir : Insuffisance, mécontentement.
- Se faire chronométrer : On attend des résultats de votre part.

CHRYSANTHÈME :
Voir Fleurs.

CHUCHOTER :
- Soi-même : Secret bien gardé
- Entendre chuchoter : Votre tentative échouera.

CHUTE :
- Chute d'eau : Danger imminent.

CIBLE :
- En voir ou en viser une : Vous tomberez amoureux.
- En être une : On vous admire à distance.
- En rater une : Liaison pénible.
- Bien viser : Bonheur certain et à long terme.

CIBOIRE :
- Heureux résultats en affaires.

CICATRICE :
- En voir ou en avoir : Votre dureté vous rapportera.
- Fermée : Rétablissement rapide.
- Ouverte : Avenir prometteur.

CIEL :
- Gris : Problèmes en perspective.
- Bleu : Vie heureuse, remplie de joie.
- En flammes : Dispute assurée.
- Monter au ciel : Après le bonheur viendra l'inquiétude.

CIERGE :
- Allumé : Baptême, communion ou confirmation.
- Éteint : Maladie, virus.
- En allumer un : Réalisation de vos désirs.

CIGALE :
Voir Insectes et reptiles.

CIGARE OU CIGARETTE :
- En fumer ou en allumer : Surveillez vos économies.
- En offrir ou en éteindre : Trop de prodigalité vous nuira.

CIGOGNE :
Voir Oiseaux et volailles.

CILS :
Voir Anatomie.

CIMENT :
- En voir ou en utiliser : Consolidation d'un projet et d'un amour.

CIMETIÈRE :
- En voir un : Signifie un deuil.
- S'y trouver : Fin de la misère.

CINÉMA OU CINÉMATHÈQUE :
- Y aller : Vous êtes un peu paresseux.
- Salle comble : Mauvaise fréquentation.
- Salle vide : Projet superflu.

CINÉ-PARC :
- Divertissement ennuyeux.

CINGLÉ :
- En voir un : Espérance exagérée.
- L'être : Vous n'êtes pas si fou que ça.

CINQ :
Voir Nombres.

CIRCONCISION :
- Être circoncis : Plaisir érotique.
- Ne pas l'être : Surveillez vos arrières.

CIRCUIT :
- Automobile : Danger de mort.
- Coup de circuit : Vous aurez le bon argument.

CIRE :
- En voir ou en utiliser : Fin de vos problèmes avec la loi.
- Chaude : Grosse transaction.
Froide : Réunion de famille.

CIRQUE :
- Situation difficile et fatigante.

CISEAUX, CISAILLES:
- En voir ou en utiliser : Bataille suivie d'une séparation.
- Se blesser avec : Maladie mortelle.

CITERNE :
- Fausses accusations.

CITRON :
Voir Fruits et légumes.

CITROUILLE :
Voir Fruits et légumes.

CIVIÈRE :
- En voir ou y être couché : Vous prenez trop de risques.
- Être transporté soi-même ou quelqu'un d'autre, sur une civière :
- Tentez le meilleur pour le pire.

CLAIR DE LUNE :
- En voir un : Chagrin inconsolable.

CLAIRON :
Voir Musique.

CLANDESTIN :
- Passager clandestin : Trop de secret.

CLAQUE :
- En donner une : Paroles blessantes.
- En recevoir une : Nouvelle traumatisante.
- De fouet : Vous êtes un peu trop dur.

CLAQUEMENT :
- De portes : Dispute et séparation.
- De doigts : Facilité d'adaptation.

CLAQUETTE :
- Danser la claquette : Bonheur et prospérité.
- Voir quelqu'un en danser : Joie de vivre.

CLARINETTE :
Voir Musique.

CLASSE :
- D'école : Nostalgie du temps passé.

CLASSER :
- Quelque chose : Il est peut-être temps de mettre de l'ordre.

CLASSEUR :
- En voir ou en utiliser : Renseignements utiles.

CLAVIER :
- En voir un : Vous passerez une bonne journée.
- En utiliser un : Travail agréable.

CLEF :
- En voir une : Un ami vous cache quelque chose.
- En perdre une : Vous avez de la difficulté à atteindre votre objectif.
- En trouver une : Une nouvelle vous apportera de la joie.
- S'en servir : Vous changerez de mode de vie.

CLIENTE :
- Vous réussirez, mais faites attention aux jaloux.

CLIGNER :
- Des yeux : Habitudes ennuyeuses.

CLIGNOTANT :
- D'une automobile : Ne tardez plus, changez de direction.

CLIMAT :
- Chaud : Cela signifie peut-être que vous avez besoin d'un peu d'air.
- Froid : Vous avez besoin de repos.

CLIMATISEUR :
- En voir un : Donnez-vous un peu de temps et tout marchera.
- En utiliser un : Prenez garde, car vous prenez toujours tout trop au sérieux.

CLIN D'ŒIL :
Attention, les apparences sont parfois trompeuses.

CLINIQUE :
- En voir une : Signe de maladie dans les alentours.
- Y entrer : On vous porte plus d'attentions que d'habitude.
- En sortir : Un projet d'affaires s'accomplira.

CLIP :
- Vidéo : La vie est courte, il faut en profiter.

CLITORIS :
Voir Anatomie.

CLOCHARD :
- En voir un : Pauvreté et maladie.
- En être un : Réussite en amour.

CLOCHE :
Voir Musique.

CLOCHER :
- Tout va pour le mieux en argent et en affaires.

CLÔTURE :
- En voir une : Attention de ne pas vous blesser.
- En sauter une : Vous traverserez beaucoup d'obstacles très difficiles.
- En faire une : mettez de l'ordre dans vos idées.

CLOU, CLOUER :
- En voir : N'essayez pas d'aller trop loin.
- En acheter : Grosse rentrée d'argent.
- Clouer une chose : Risque de maladie vénérienne.

CLOWN :
- En voir un : Sortez et divertissez-vous.
- En être un : La honte et l'angoisse vous guettent.

CLUB :
- Peut-être que vous manquez-vous un peu d'amusement.

COBAYE :
- En voir un : Souci et peur.
- En être un : Des gens profitent de votre bonté.

COBRA :
Voir Insectes et reptiles.

COCAÏNE :
- En voir : Le malheur est proche.
- En vendre : Vous ne prenez pas la vie au sérieux.

COCAÏNOMANE :
- En voir un : Regardez aux alentours, quelqu'un a besoin de votre aide.
- En être un : Ne prenez pas de risques pour des choses sans importance.

COCCINELLE :
Voir Insectes et reptiles.

COCCYX :
Voir Anatomie.

COCHER :
- En voir un : Vous aurez une visite de longue durée.
- En être un : Ne profitez pas trop des autres, ça pourrait revenir contre vous.

COCHON :
Voir Animaux.

COCKTAIL :
- En boire un : Faites un changement utile dans votre vie.
- En préparer un : Votre vie personnelle n'est pas à son mieux.

CODE :
- D'accès : Routine ennuyeuse.
- Secret : Vous ne pouvez pas tout posséder.

CŒUR :
- En dessiner un : Amour probable.
- En découper un : Vous êtes un

peu brise-cœur.
- Traversé par une flèche : Énorme peine d'amour.

CŒUR : (organe)
Voir Anatomie.

COFFRE :
- En voir un vide : Perte de vos biens.
- En voir un plein : Joie et succès en affaires.

COIFFER :
- Coiffer quelqu'un : Un adversaire veut vous nuire.
- Se coiffer : Votre santé va très bien.

COIFFEUR :
Voir Travail.

COIFFURE :
- Changer de coiffure : Changer votre apparence ne peut changer votre façon d'être.

COL :
- En voir un : Vous obtiendrez l'appui d'un homme.
- En repasser un : Un homme vous manipulera.
- En porter un : Sortie en perspective.

COLÈRE :
- Être en colère : Mauvaise confiance.
- Voir quelqu'un en colère : On se vengera de vous.

COLIBRI :
Voir Oiseaux et volailles.

COLIS :
- En voir ou en recevoir un : Affaires faciles.
- En livrer ou en envoyer un : Travail inutile.

COLLATION :
- Rencontre déplaisante.

COLLE :
- En voir ou en utiliser : Attachement sincère.

COLLÈGE :
- Vous avez l'obligation de prendre soin de vos enfants.

COLLER :
- Quelque chose : Tracas et ennuis.

COLLET ROULÉ :
Voir Vêtements.

COLLIER :
- En voir ou en porter un : Amitié véritable.
- En or : Héritage, gains.
- En argent : Faillite personnelle.
- De perles : Vous pardonnerez pour vous réconcilier.
- En corail : Amour merveilleux.
- D'ambre : Succès, bénéfices, victoires.
- De diamants : Trahison certaine.

COLLINE :
- En monter une : Obstacles à surmonter.
- En descendre une: Vous prenez du recul.

COLOMBE :
Voir Oiseaux et volailles.

COLONEL :
- En voir un : Jalousie.
- En être un : Hausse de votre popularité.

COLONNE VERTÉBRALE :
Voir Anatomie.

COMBAT :
Voir Bataille.

COMBINAISON :
Voir Vêtements .

COMÉDIE :
- Voir quelqu'un jouer la comédie :
Bonheur bien mérité.
- Jouer la comédie : Déception passagère.

COMÉDIEN :
Voir Travail.

COMÈTE :
- En voir une : Risque de bataille ou même de guerre.

COMMANDER :
- Quelqu'un : Problèmes graves.
- Quelque chose : Quelqu'un vous fera un cadeau.

COMMÉRAGE :
- En faire : Vous êtes nuisible.
- En entendre : Une mauvaise langue vous nuira.

COMMIS :
Voir Travail.

COMMODE :
- Vous cachez bien votre personnalité réelle.

COMMUNION :
- Accomplissement de vos idées.

COMPAS :
- En voir ou en utiliser un : Arrêtez de tourner en rond.

COMPÉTITION :
- En gagner : Réussite en affaires.
- En perdre une : Vous ne pouvez tout avoir, tout posséder.

COMPLIMENT :
- En faire : Sincérité, franchise.
- En recevoir : Dévouement, honnêteté.

COMPLOT :
- En être victime : Vous vous ferez avoir dans votre propre piège.
- En être l'investigateur : vous vous vengerez.

COMPTABLE :
Voir Travail.

COMPTER :
- Prenez du repos, la pression est trop forte.

CONCERT :
- En entendre un : Bonne santé et gaieté.
- En donner un : Succès de longue durée.
- Y être invité : Joie et bonheur

CONCESSION :
- Délivrance à venir.

CONCIERGE :
Voir Travail.

CONCLURE :
- Une chose : le bonheur après la douleur.

CONCOMBRE :
Voir Fruits et légumes.

CONDAMNATION :
- Bien-être très prochain.

CONDUIRE :
- Bonne conduite : Récompense, remerciement.
- Mauvaise conduite : Désespoir inévitable.

CONDUITE :
- D'eau : Vous jouerez le tout pour le tout.

CONFÉRENCE :
- En donner une : Vous avez beaucoup à montrer.
- Y assister : Vous manquez d'instruction.

CONFESSION :
- Se confesser : Trop parler n'est pas toujours bien.
- Confesser quelqu'un : Mêlez-vous un peu plus de vos affaires.

CONFIRMATION :
- Héritage et joie.

CONFISERIE :
- Vous serez forcé d'avouer vos torts.

CONFITURE :
- En voir ou en faire : Profit bien mérité.
- En manger : Vie paisible.

CONGÉ :
- Vous laissez votre travail pour le plaisir.

CONSCIENCE :
- Bonne : Vie paisible.
- Mauvaise : Peine et tracas.

CONSEIL :
- En donner ou en recevoir : Les amis ne sont pas toujours aussi bons qu'on le croie.
- Demander conseil : Tricherie et tristesse.

CONSEILLER :
Voir Travail.

CONSERVE :
- Il faut se contenter de ce que l'on a reçu.

CONSOLATION :
- Être consolé : Ne désespérez pas, un jour on vous aidera.
- Consoler quelqu'un : Votre aide sera appréciée.

CONSTIPATION :
- Votre obstination vous réussira.

CONSTRUCTEUR :
Voir Travail.

CONSTRUIRE :
- Construire une maison ou toute autre chose : Vous aurez une existence remplie de bonheur.

CONTE :
- De fées : Un voyage vous profiterait.

COMTE, COMTESSE :
- En voir un ou une : Idées trompeuses.
- En être un ou une : Exagération, abus.

CONTRACTEUR :
- Voir Travail.

CONTRAT :
- En conclure un : Ne prenez pas trop de risques, cela pourrait vous nuire.
- De mariage : Vos expériences seront marquées d'une grosse déception.

CONTRAVENTION :
- En donner une : Il faut parfois écouter ce que disent les autres.
- En payer une : Payez pour vos erreurs.
- En recevoir une : Suivez vos propres conseils.

CONTREBANDE :
- En faire : Peine et désagrément.
- Voir des contrebandiers : Danger grave.

CONTREBASSE :
Voir Musique.

CONTREMAÎTRE :
Voir Travail.

CONTRIBUTION :
- Fournir la sienne : Prompte réussite.
- En recevoir une : Dépenses coûteuses.

COPIE :
- Copier : Argent gagné illégalement.

- Voir quelqu'un copier : Une personne vous ment.

COQ :
Voir Oiseaux et volailles.

COQUELICOT :
Voir Fleurs.

COQUELUCHE :
- Guérison d'un enfant.

COQUERELLE :
Voir Insectes et reptiles.

COQUILLAGE :
- En voir ou en trouver : Sortez de votre coquille.

CORAIL :
Voir Pierres précieuses.

CORBEAU :
Voir Oiseaux et volailles.

CORBEILLE :
- En voir une : Démarche rapide.
- Pleine : Nouvelle intéressante.
- Vide : Mauvais propos, rupture.
- À linge : On tentera de vous exploiter.

CORBILLARD :
- En voir un : La mort d'un proche vous attristera.
- Le conduire : Maladie incurable.

CORDE :
- En voir une ou s'en servir : Emploi trop difficile.
- Attachée à un bâton : Vous serez ensorcelé.
- En nouer une : Changement de

religion.
- En dénouer une : Victoire sur vos ennemis.
- Être attaché avec une corde : Signe de lien possessif.

CORDONNIER :
Voir Travail.

CORNE :
- En voir ou en avoir : Jalousie inévitable.
- Voir quelqu'un en avoir : Danger, vous pourriez vous faire attaquer.

CORNEILLE :
Voir Oiseaux et volailles.

CORNET :
- En voir ou en faire un : Votre partenaire se détache de vous.
- En manger un : Rupture, divorce.

CORNEMUSE :
Voir Musique.

CORRIDOR, COULOIR :
- Avancez lentement mais sûrement.

CORSET :
Voir Vêtements.

CÔTE :
Voir Anatomie.

CORTÈGE :
- En voir ou en faire partie : Une réconciliation vous réjouira.

COSTUME :
- En voir ou en porter un : Vous impressionnez vos amis.

- En acheter un : Vous deviendrez célèbre.

CÔTE :
- Montagne : Défi à relever.

COTON :
- Mensonge qui vous rapportera.

COU :
Voir Anatomie.

COUCHER :
- Être couché seul : Peine d'amour.
- Être couché avec quelqu'un : Triomphe.
- Voir quelqu'un couché : Vous êtes peut-être un peu fatigant.

COUDE :
Voir Anatomie.

COUETTE :
- Couverture : Restez calme et détendez-vous.
- De cheveux : Vous êtes très attachant.

COULEURS :

Les couleurs tiennent une place très importante dans les rêves. Elles peuvent être associées à plusieurs autres thèmes, telle la température. Si, dans votre rêve, le temps est gris, cela sera généralement mauvais ; par contre s'il est ensoleillé cela signifierait la joie et la gaieté. Vous connaissez sûrement l'expression : «Voir la vie en rose», qui veut tout simplement dire : «Aimer la vie.» Vous comprenez le rapport ? Normalement les couleurs pâles sont meilleures que les foncées. Il est toujours bon de jumeler les sujets de vos souvenirs avec leurs couleurs ; cela pourrait souvent faire toute une différence.

- BLANC : Perte de mémoire, vie stable.

- BLEU : Sentiments loyaux, richesse.

- BRUN : Début d'un chagrin.

- GRIS : Angoisse, peur, solitude.

- JAUNE :Prospérité et bon travail.

- MARRON : Vie banale et triste.

- MAUVE : Mauvaise décision, perte.

- NOIR : Mort ou malheur.

- ORANGE : Bonne initiative.

- ROSE : Bonheur et joie.

- ROUGE : Vous êtes passionné.

- TURQUOISE : Bonne décision.

- VERT : Paix avec vous-même, voyage à la campagne.

- VIOLET : Sagesse et prospérité.

COULEUVRE :
Voir Insectes et reptiles.

COUP :
- En donner : Tristesse cachée.

- En recevoir : Prospérité, sagesse.
- De bâton : Problème d'intégration.
- De poing : Tracas de courte durée.
- De pied : Honte, déshonneur.

COUPABLE :
- Être coupable : Ne fuyez pas la réalité.
- Voir quelqu'un de coupable : Rumeurs dans votre voisinage.

COUPE :
- En voir ou s'en servir pour boire : Paix et amour.
- De cheveux : Argent caché.

COUPER :
- Quelque chose : Divorce, fin d'une liaison.
- Se couper : Affaire risquée.

COUR :
- Faire ou se faire faire la cour : Il ne faut pas empêcher la vérité de se manifester.
- De maison : Vous avez un très grand cœur.
- De palais : Travail inutile.
- De tribunal : Procès imminent.

COURAGE :
- En avoir : Complexe d'infériorité.
- En manquer : Persécution de toutes sortes.

COURGETTE :
Voir Fruits et légumes.

COURIR :
- Se voir courir : Dignité, gloire.
- Voir quelqu'un courir : Vos amis apprécieront vos idées.

- Vouloir courir sans y parvenir : Dépression nerveuse.

COURONNE :
- En porter une : Honneur, contentement.
- D'épines : Offre d'emploi.
- D'or : Bon succès.
- D'argent : Aide financière appréciée.
- De lauriers : Vous serez félicité pour votre intelligence.
- De fleurs ou mortuaire : Joie passagère.
- D'ossements : Mort causée par une maladie.
- Être couronné : Réussite extraordinaire.
- Couronner quelqu'un : Vous avez beaucoup d'estime pour vos amis.

COURSE :
- De voitures : Soyez dur et sûr de vous.
- De chevaux : Divertissement très coûteux.
- De chiens : Puissance sexuelle.
- Voir quelqu'un faire une course : Vos adversaires prennent de l'avance.
- Gagner : Honneur, popularité. Perdre : Votre nom sera sali.

COURSE À PIED :
Voir Sports et loisirs.

COURSEUR :
Voir Travail.

COURTIER :
Voir Travail.

COUSIN :
- Réunion de famille amicale.

COUSSIN :
- En voir ou s'en servir pour s'étendre : Manque de confort.

COUTEAU :
- En voir ou en utiliser un : Une dispute pourrait causer un grave accident.
- De boucher : Un danger vous fait peur et vous avez raison. En aiguiser un : Vous serez mal à l'aise devant une querelle de famille.
- Se blesser avec un couteau : Blessure émotionnelle.

COUTURE :
- En faire : Travail obligatoire et ennuyeux.
- Voir quelqu'un en faire : Attention aux crises de violence.

COUTURIER :
Voir Travail.

COUVENT :
- De femmes : Mensonge déplaisant.
- Religieux : Hospitalité, chaleur humaine.

COUVER :
- Un œuf : Projet en attente.

COUVRE-FEU :
- Le respecter : Troublante réunion.
- Ne pas le respecter : Ne fuyez pas vos obligations.

COUVREUR :
Voir Travail.

COYOTE :
Voir Animaux.

CRABE :
Voir Poissons.

CRACHAT :
- Cracher : Il est temps de vider votre sac.
- Voir quelqu'un cracher : Votre succès fera des jaloux.

CRAIE, CRAYON :
- En voir ou en utiliser : Bonne nouvelle et succès en affaires.
- En remplir un d'encre ou en aiguiser un : On se sert de vous d'une façon redoutable.

CRAPET :
Voir Poissons.

CRAVATE :
Voir Vêtements.

CRÉANCIER :
Voir Travail.

CRÉATURE :
- En voir une : Votre vie personnelle est remplie d'amour et de bonheur.

CRÈCHE :
- En voir une : Vous remplacerez une tristesse par un bonheur intense.

CRÉDITER :
- Gain non mérité.

CRÈME :
- En voir ou en manger : vous prendrez du poids.
- Quelle soit la sorte de crème : Vous reprendrez ce qui vous était dû.

CRÊPE :
- En voir ou en faire : Vous recevrez une invitation d'un d'un groupe d'amis.
- En manger : La nuit porte conseil.

CREUSER :
- Se voir creusant : Vous atteindrez votre but, mais peut-être pas aussi facilement que vous le croyez.
- Voir quelqu'un creuser : Il faut d'abord résoudre ses problèmes avant de se soucier de ceux des autres.

CRI :
- Crier : Il faut faire savoir ce que vous avez à dire.
- Entendre crier : Vous serez dans l'embarras, mais un proche vous secourra.

CRICKET :
Voir Sports et loisirs.

CRIMINEL :
- En être un : Vous en voulez trop, il faut en laisser pour les autres.
- En voir un : Perte, tracas.

CRIQUET :
Voir Insectes et reptiles.

CRISE :
- De violence : Accident déprimant.
- De nerfs : Relâchez un peu de tensions, reposez-vous.
- Cardiaque : Vous devriez surveiller votre santé.

CRISTAL :
- En voir : Vous rencontrerez une personne qui a du nerf.
- Boule de cristal : Ne vous fiez pas à votre intuition.

CRISTAL DE ROCHE :
Voir Pierres précieuses.

CRITIQUE :
- Critiquer : Réussite en tout.
- Être critiqué : Immense chagrin.

CROCHET :
- En voir un : Soyez moins brutal, car cela pourrait vous attirer des problèmes.

CROCODILE :
Voir Animaux.

CROIX :
- En voir ou en porter une : Tristesse, deuil.
- En or : Vos espoirs se réaliseront.
- En argent : Donnez et vous recevrez.
- En fleurs : Bonheur familial.
- Se voir ou voir quelqu'un sur une croix : Avec le temps, tout s'efface.

CROQUE-MORT :
- Vie remplie d'émotions.

CROQUER :
- Quelque chose : Trop de défauts vous nuira.

CRUAUTÉ :
- Être cruel : Trop c'est trop, agissez.
- Voir quelqu'un de cruel : Soyez un peu moins méchant.

CRUCHE :
- Pleine : Grande joie.
- Vide : Abandon, solitude.
- Cassée : Une chicane vous effraiera.

CUILLÈRE :
- En voir ou s'en servir : Soirée coûteuse.
- En or : Plaisir suivi de désagréments.
- En argent : Votre vie ne sera que plus belle.
- En voir des sales : Vous êtes trop négligent.

CUIR :
- En voir ou en porter : Persévérez et vous réussirez.

CUISINE :
- En voir une : Protégez vos biens.
- Faire la cuisine : Vous êtes économe, mais sans valeur.
- Voir quelqu'un faire la cuisine : Vous serez invité à contre cœur.

CUISINIER :
Voir Travail.

CUISINIÈRE :
- En voir une ou s'en servir : Débarrassez-vous des profiteurs.

CUISSE :
Voir Anatomie.

CULBUTE :
- En faire une : recul en affaires.
- Voir quelqu'un en faire une : Cette personne vous causera pertes et ennuis.

CUL-DE-SAC :
- En voir un : Vous recevrez une bonne éducation.

CULOTTES COURTES :
Voir Vêtements.

CUPIDON :
- Soirée excitante entre amoureux.

CURÉ :
- En voir un : Vous vous posez trop de questions.
- En être un : Restez sur le droit chemin.

CURIOSITÉ :
- Être curieux : Vous devriez envisager de changer d'amis.
- Voir un curieux : Nouvelle que vous auriez voulu garder secrète.

CUVE :
- Pleine : Vous deviendrez riche.
- Vide : Faillite totale.

CYMBALE :
Voir Musique.

Voir Alphabet.

DACTYLO :
- Ne vous laissez pas mener par le bout du nez.

DACTYLOGRAPHIE :
Voir Travail.

DANSE :
Voir Sports et loisirs.

DANSEUR :
Voir Travail.

DARD :
- Blessures mineures.

DAUPHIN :
Voir Poissons.

DÉ :
- Jouer avec : Votre chance sera suivie d'une grosse malchance.
- Dé à coudre : Votre conjoint vous fera du mal.

DÉBALLER :
- Un colis : Affaires ennuyeuses.
- Un cadeau : Plus vous appréciez le cadeau, plus vous aurez un gros gain.

DÉBAUCHE :
- Mauvaises intentions de votre part.

DÉBRIS :
- Grande surprise qui vous apportera la joie et le bonheur.

DÉBUTANT :
- En voir un : On vous mettra des bâtons dans les roues.
- En être un : Vous progresserez plus vite que jamais.

DÉCAPITATION :
- Rupture brutale.

DÉCEMBRE :
Voir Jours et les mois.

DÉCEPTION :
- En être victime : Maîtrise de soi-même.
- Décevoir quelqu'un : Prenez les arrangements nécessaires pour être certain d'atteindre votre objectif.

DÉCHARGE :
- Ne craignez rien, tout va comme sur des roulettes.

DÉCHIRER :
- Ses vêtements : Ayez confiance en vos amis et en leurs conseils.
- Une lettre : Vous réussirez à oublier un mauvais souvenir.

DÉCISION :
- En prendre une : Si vous hésitez, vous perdrez d'avance.

DÉCLARATION :
- En faire une d'amour : Plaisir sexuel.
- En faire une de guerre : Un imprévu vous nuira.

DÉCOIFFER :
- Se décoiffer : On essaie de vous faire du tort mais vous vaincrez.
- Voir quelqu'un se décoiffer : Vous payerez pour quelque chose que vous n'avez pas fait.

DÉCOR :
- Beau : Bien-être, satisfaction.
- Laid : Vous vous sentirez mal à l'aise.

DÉCORATEUR :
Voir Travail.

DÉCOUPER :
- Quelque chose : Séparation, divorce.

DÉCOURAGER :
- Ne désespérez pas, il faut persévérer.

DÉCOUVERTE :
- En faire une : Aisance, réconfort.

DÉCROCHER :
- Problèmes difficiles à résoudre.

DÉESSE :
- En voir une : Vous serez induit en erreur.
- En être une : Restez à votre naturel.

DÉFENSEUR :
- En voir un : Vous avez un ange gardien qui vous protège.
- En être un : Vous pousserez quelqu'un à bout de nerfs.

DÉFIER :
- Se faire défier : On essaie de faire ressortir vos sentiments cachés.
- Défier quelqu'un : Justice sera faite.

DÉFIGURER :
- L'être : Changements qui ne vous plairont pas.
- Défigurer quelqu'un : Amélioration du fonctionnement au travail.

DÉFILÉ :
- Y assister : Vous fêterez un succès professionnel.
- Y participer : On vous lancera un défi de taille.

DÉFRISER :
- Se défriser : Vous êtes sur une corde raide.
- Défriser quelqu'un : Votre caractère s'adoucira.

DÉGÂT :
- En voir un : L'erreur est humaine.
- En faire un : Attention à vos faits et gestes.

DÉGELER :
- Quelque chose : Vous succomberez aux avances qu'on vous fera.

DÉGUISEMENT :
- En voir un : Vous entreprendrez un travail dur et long.
- Être déguisé : Vous éviterez une grosse catastrophe.

DÉGUSTATEUR :
Voir Travail.

DÉJEUNER :
- En prendre un : Une nouvelle vous fera sauter de joie.
- En organiser un : Trop d'efforts inutiles.

DÉLICATESSE :
- Vous serez sujet d'une importante expérience.

DÉLIRE :
- Se voir délirer : La ponctualité paie.
- Voir quelqu'un délirer : Les bons comptes font les bons amis.

DÉLUGE :
- En voir un : La fin d'un arrangement approche.

- En provoquer un : Ce peut être le début d'une grosse affaire.

DÉMANGEAISONS :
- En avoir : Gains mal investis.
- Voir quelqu'un en avoir : Saisie de biens.

DÉMASQUER :
- Se faire démasquer : Flatterie, douceur.
- Démasquer quelqu'un : On vous annoncera une nouvelle qui vous blessera.
- Un voleur : Il y a un traître dans votre entourage.

DÉMÉNAGEMENT :
- En voir un : ne vous fatiguez pas pour rien.
- Déménager : Changer de décor fait parfois changer d'humeur.

DÉMÉNAGEUR :
Voir Travail.

DÉMENT :
- En voir un ou l'être : Vous devriez apprendre à contrôler vos émotions.

DÉMOLITION :
- Démolir une chose : Votre désir de vaincre vous coûtera cher.

DÉMON :
Voir Diable.

DÉNONCIATION :
- Mauvais jugement.

DENT :
Voir Anatomie.

DENTELLE :
- En voir ou en porter : Amour prétentieux.

DENTISTE :
Voir Travail.

DENTUROLOGUE :
Voir Travail.

DÉPENSE :
- Dépenser : Pour être heureux il vous faut de l'argent.

DÉPÔT :
- En effectuer un : Vous vous confierez.

DÉPOUILLEMENT :
- D'effets : Perte immense.
- D'arbre de Noël : Vous recevrez un joli cadeau.

DÉPRESSION :
- En faire une : Vous êtes sur le point de craquer.
- Voir quelqu'un en dépression : Vous rendez les autres fous.

DÉPUTÉ :
- En voir un : On ne peut se fier à votre parole.
- En être un : Soyez juste.

DÉRACINER :
- Vérité dévoilée.

DÉRIVE, DÉRIVER :
- Solitude menant à la dépression.

DÉROBER :
Voir Vol.

DÉSARMER :
- L'être : Visite qui vous aidera.
- Désarmer quelqu'un : Vous prendrez la part d'un de vos amis.

DÉSERT :
- Y être : solitude ennuyeuse.

DÉSERTEUR :
- En voir un : Ne vous fiez qu'à vous-même.
- En être un : Malheur, tristesse.

DÉSESPOIR :
- Être désespéré : Une certaine lettre vous fera très plaisir.
- Voir quelqu'un de désespéré : Événement pénible.

DÉSHABILLER :
- Se déshabiller : Une coïncidence vous fera comprendre le bon sens.
- Déshabiller quelqu'un : Risque d'emprisonnement.
- Voir quelqu'un se déshabiller : Crainte surmontée.
- Se faire déshabiller : Vous aurez honte.

DÉSHONNEUR :
- Être déshonoré : signe de paranoïa.
- Déshonorer quelqu'un : Cette personne le méritait-elle vraiment ?

DÉSOBÉISSANCE :
- Être désobéissant : Votre sort va bientôt changer.
- Se faire désobéir : Vous ne pouvez pas tout posséder.

DESSERT :
- En voir : Vous êtes un peu profiteur.
- En manger : Gourmandise.
- En préparer : Temps libre mal organisé.

DESSIN :
- En voir : Projet en expansion.
- En faire : Mauvaise compréhension.
- Voir quelqu'un en faire : Vous avez un peu la tête dure.

DESSINATEUR :
Voir Travail.

DÉSOSSER :
- La viande : Vous organiserez un souper.

DÉTAILLANT :
Voir Travail.

DÉTERRER :
- Être déterré : Parfois il faut savoir pardonner.
- Déterrer quelqu'un : Le mal attire le mal.

DÉTOUR :
- En faire un : Ne remettez pas au lendemain ce qui pourrait être fait aujourd'hui.

DETTES :
- En avoir : Bon profit.
- En payer : Vous serez endetté.
- Collecter une dette : Exigence exagérée.

DEUIL :
- Être en deuil : Union, réconciliation.

- Voir quelqu'un en deuil : Tristesse passagère.

DEUX :
Voir Nombres.

DÉVALISER :
Voir Vol.

DEVINETTE :
- Vous vous sentirez un peu perdu et déséquilibré.

DEVOIR :
- En faire un : Vous avez encore beaucoup à apprendre.
- En avoir un à faire : Ne faites pas deux fois la même erreur.
- En donner un : Chacun de nous peut avoir un degré d'instruction différent, vous n'y pouvez rien.

DÉVORER :
- Être dévoré : On vous trompe facilement.
- Dévorer : Vous allez trahir un proche.

DIABLE :
- En voir un : Mauvaise fréquentation.

- En être un : On vous craint.
- Être poursuivi : Inquiétude, persécution.
- Se battre avec : Courage, force.
- Le tuer : chance, victoire sur vos rivaux.

DIAMANT :
Voir Pierres précieuses.

DIARRHÉE :
- Vous contracterez une toux.

DICTATEUR :
- En voir un : Vous détestez qu'on vous exploite.
- En être un : Vous avez le pouvoir de changer les choses.

DICTIONNAIRE :
- En voir un : Soyez responsable de vos actes.
- Le consulter : Intelligence bien développée.

DIÉTÉTISTE :
Voir Travail.

DIEU :
- Le voir ou lui parler : Annonce la bonté, l'aisance.
- L'être : Votre opinion n'est pas nécessairement la meilleure.
- L'implorer ou le prier : Fin d'une tristesse.
- L'entendre parler ou se faire bénir : On vous pardonnera.

DIFFICULTÉ :
- En éprouver : Travail facile.

DILIGENCE :
Voir Transports.

DIMANCHE :
Voir Jours et mois.

DINDE :
Voir Oiseaux et volailles.

DÎNER :
- Seul : Mettez un frein à votre orgueil.
- Avec d'autres gens : Rencontre familiale.

DINOSAURE :
Voir Animaux.

DIPLÔME :
- Graduation, augmentation.

DIRECTEUR :
Voir Travail.

DISCIPLINE :
- En manquer : Désordre social.
- S'y soumettre : Vous causerez tout un émoi.
- Voir quelqu'un en manquer ou lui en donner : Cette personne vous fera honte.

DISCOURS :
- En entendre un : Vous ne vous fiez pas à la bonne personne.
- En faire un : Arrêtez de parler et agissez.

DISPARAITRE :
- Se voir disparaître : Abandon, surprise.
- Voir quelqu'un disparaître : On vous laissera tomber.

DISPUTE :
Voir Querelle.

DISQUE :
- En voir un : Gare aux tromperies.
- L'écouter : Soirée romantique.
- L'enregistrer : Réalisation d'un désir.

DISQUE-JOCKEY :
Voir Travail.

DISSÉQUER :
- Vous ne pouvez tromper personne.

DIVORCE :
- Divorcer ou se faire demander le divorce : Chantage, espièglerie.
- Voir d'autres gens divorcer : Comportement critiqué, il faut améliorer.

DOCTEUR :
Voir Travail.

DOIGT :
Voir Anatomie.

DOMESTIQUE :
- En voir ou en avoir : Visite ou lettre inattendue.
- En être un : Vous faites preuve d'une grand dévouement.

DOMMAGE :
Voir Dégât.

DOMPTEUR :
Voir Travail.

DONATION :
- En faire une : Grande générosité.
- En recevoir une : Est-ce que vous méritez ce que vous avez ?

DORMIR :
- Se voir dormir : Vous pouvez vous fier à vos amis.
Voir quelqu'un dormir : Vous êtes en confiance.

DOS :
Voir Anatomie.

DOSE :
- Désagrément soudain.

DOUANE :
- Petit obstacle à surmonter avant de prendre des vacances.

DOUCHE :
- En voir une : Signe de malpropreté.
- Prendre une douche : Manque d'attention.

DOUTE :
- Douter : Initiative risquée.
- Semer le doute : Certaines personnes vous trouvent un peu stupide.

DRAGON :
- En voir un : Charmante compagnie.
- Le combattre : Querelle avec votre belle-mère.
- Être assis dessus : Prospérité, gain.

DRAP :
- En voir ou s'en servir : Mince protection.
- Blanc : Paix et amour, et peut-être un mariage.
- Sale et déchiré : Trouble, pauvreté.

DRAPEAU :
- En voir un : Tout le monde est de votre avis.
- Le porter : Sincérité, bien-être.
- Blanc : Vie paisible.

DROGUE :
- En voir : Plaisir fou.
- En consommer : Tranquillité, satisfaction.
- Voir quelqu'un en consommer : Ne jugez personne.

DROMADAIRE :
Voir Animaux.

DUC, DUCHESSE :
- Une personne bien placée financièrement veut vous encourager et vous aider.

DUEL :
Voir Bataille.

DUO :
- En former un : Bonheur conjugal.
- En voir un : Ne vous mêlez pas des chicanes de ménage d'autrui.

Voir Alphabet.

EAU :
- En voir : Vous recevrez de l'argent ou de l'amour en quantité abondante.
- En boire : Sagesse et bonne santé.
- Chaude : Maladie grave.
- Froide : Il faut se ressaisir et foncer dans la vie.
- Claire : Signe de grossesse pour vous ou pour une proche.
- Sale : Indique le mal, l'agressivité, la querelle.

ÉBÉNISTE :
Voir Travail.

ÉBLOUISSEMENT :
- La chance est de votre côté, il faut la prendre quand elle passe.

ÉBOUEUR :
Voir Travail.

ÉBOULEMENT :
- De terre : tout s'écroule autour de vous, quelqu'un cherche à vous créer de gros ennuis.

ÉCAILLE :
- Tout ce qui était confus dans votre tête s'éclaircira.

ÉCHAFAUD :
- En voir un : Votre vie sera longue, mais pénible.

ÉCHAFAUDAGE :
- Le plus sûr moyen de s'enrichir est d'attendre passivement un

heureux coup de sort.

ÉCHANGE :
- De cadeaux : Signifie que vous avez un grand cœur.
- D'idées : Vous êtes une personne très sociable et très aimable.
- D'une chose : Vous avez du talent mais vous êtes trop timide pour l'exploiter.

ÉCHAPPER :
Voir Fuir.

ÉCHARPE :
Voir Vêtements.

ÉCHASSE :
- En voir ou s'en servir : Vous resterez une période de temps au lit à cause d'un accident.

ÉCHÉANCE :
- Les affaires vont bien mais vous avez une décision importante à prendre en peu de temps.

ÉCHEC :
- En subir un : Tant que subsiste une erreur, un compte n'est pas définitif.

ÉCHECS (jeu) :
Voir Sports et loisirs.

ÉCHELLE :
- En voir une ou y monter : Nouveau travail à explorer.
- En descendre une : Vous retournerez à une ancienne habitude désagréable.
- En tomber : Plus vous tombez de haut, plus la catastrophe sera grande.
- Passer en dessous : Comme la superstition, cela indique un malheur.

ÉCHEVIN :
Voir Travail.

ÉCHO :
- En entendre un : S'il disait quelque chose de bien, cela signifie amour plaisant.
- S'il disait quelque chose de mal, cela vous prévient que quelqu'un dit du mal de vous.

ÉCLABOUSSURE :
- On salira votre réputation à cause d'un manque de compréhension.

ÉCLAIR :
- En voir un : Un événement ou une nouvelle arrivera subitement et changera une partie de votre vie.

ÉCLAT DE VERRE :
- On ne peut avoir la chance de se donner du bon temps tous les jours.

ÉCLIPSE :
- Vous rencontrerez bientôt un homme expérimenté.

ÉCOLE :
- Entrer à l'école : Écoutez-vous et faites-vous confiance.
- Sortir de l'école : Quelqu'un vous reprochera quelque chose que vous avez déjà fait.

ÉCOLOGISTE :
Voir travail.

ÉCONOMIE :
- En avoir : Bon présage du côté affectif.
- En faire : Mieux vaut jouir de l'estime publique que d'être riche.

ÉCORCE D'ARBRE :
- En voir : Vous avez une bonne réputation et vous avez travaillé pour la mériter.

ÉCRAN :
- Vous êtes trop orgueilleux pour avouer vos torts et vous paierez pour vos erreurs.

ÉCREVISSE :
Voir Poissons.

ÉCRIRE :
- Une lettre : Nouvelle d'un très grand ami que vous n'avez pas vu depuis longtemps.
- Tout simplement : Petit gain bien mérité.

ÉCRIVAIN :
Voir Travail.

ÉCUREUIL :
Voir Animaux.

ÉCURIE :
- En voir un ou y être : Vous serez très bien accueilli par des étrangers.
- Avec des chevaux : Si vous savez bien gérer votre argent, vous en aurez toujours.
- Vide : Il faut faire attention aux dépenses inutiles.

ÉDIFICE :
- En voir un : À défaut de mieux, il faut se contenter de ce que l'on a.

ÉDITEUR :
Voir Travail.

EFFACER :
- Quelque chose : Vous perdrez la raison et aurez de la difficulté à la retrouver.

EFFORT :
- En faire : Dans quelque temps vous éprouverez une satisfaction de vivre.
- Voir quelqu'un en faire : Quand on ne fait aucun progrès, on perd ses avantages.

EFFRACTION :
- En commettre une : Vous réussirez à séduire une personne aimée.
- En être victime : Vous n'êtes pas très honnête envers vous-même.
- Voir quelqu'un en commettre une : Un ami vous raconte des mensonges que vous croyez sans hésiter, faites attention.

ÉGARER :
- S'égarer soi-même : Vous manquez de patience et de courage envers un obstacle.
- Égarer ses clefs : Attention aux voleurs.
- Égarer tout autre objet : Il est temps de mettre de l'ordre dans votre vie.

ÉGLISE :
- Y entrer : Vous êtes bon envers les autres et vous serez récompensé.
- En sortir : Vous serez imprudent, mais tout s'arrangera.
- Assister à une cérémonie :

Signifie l'amour, la foi et une belle personnalité.

ÉGORGER :

- Égorger quelqu'un : Bonne signification pour la personne égorgée.
- Égorger un animal : Vous devriez vous lancer un défi pour vous secouer un peu.
- Être égorgé : Vous aurez une maladie qui vous remettra deux fois plus en forme que vous ne l'étiez.

ÉGOUT :

- En voir : Vous serez humilié devant un groupe de personnes inconnues.
- En déboucher : Vous résoudrez un problème qui vous tourmente depuis très longtemps.

ÉLASTIQUE :

- En voir ou s'en servir : Il faut faire des efforts pour s'adapter à une situation difficile, mais vous serez à l'aise assez vite.

ÉLECTION :

- Y participer : La vie se fait très désagréable et est remplie d'obstacles.
- Être élu : Rentrée d'argent bien méritée.

ÉLECTRICIEN :
Voir Travail.

ÉLECTRICITÉ :

- En voir ou s'en servir : Vous persévérez du côté amical.
- En manquer : Avertissement en fait de sécurité.

ÉLÉGANT :

- Voir quelqu'un d'élégant : Ce peut être un signe de richesse.
- L'être : Vous affronterez un adversaire qui vous ridiculisera.

ÉLÉPHANT :
Voir Animaux.

ÉLEVEUR :
Voir Travail.

ÉLIXIR :

- En voir ou en avoir : Attention, la maladie n'est pas très loin.

EMBALLER :

- Un cadeau : Vous connaîtrez une amitié forte et durable.
- Un colis : Un voyage de courte durée approche et il sera très plaisant.

EMBALLEUR :
Voir Travail.

EMBAUMER :

- Il faut garder les bons souvenirs de ce que l'on a vécu avec cette personne.

EMBAUMEUR :
Voir Travail.

EMBRASSER :
Voir Baiser.

EMBUSCADE :

- En dresser une : Vous êtes en sécurité, prenez un congé bien mérité.
- En être victime : Vous avez un bon avenir devant vous, mais il

faut regarder où vous mettez les pieds.

ÉMERAUDE :
Voir Pierres précieuses.

Émeute :
- En voir une : Vous courez peut-être un grave danger.
- En provoquer une : Vous faites des démarches inutiles pour obtenir un gain.

ÉMIGRER :
- Peines et désarrois.

EMPAILLER :
- Voir quelqu'un d'empaillé : Faites attention à votre santé morale.
- Être empaillé : Signifie le bonheur en amour.

EMPEREUR :
- En voir un : Guerre et famine.
- En être un : Vous vaincrez une guerre difficile.

EMPLETTES :
- Voir quelqu'un en faire : Vous dépensez trop et sans penser intelligemment.
- En faire : Vous êtes prévoyant et économe.

EMPLOIS :
Voir Travail.

EMPRUNT :
- Emprunter une chose : Vous recevrez un petit présent qui vous sera très précieux.
- En faire un à la banque : Attention à la faillite.

ENCEINTE :
- L'être : Mauvaise nouvelle dans la famille.
- Voir une femme enceinte : Bonne nouvelle.

ENCENS :
- En voir ou en faire brûler : Quelqu'un joue avec vos sentiments.

ENCRE :
- En voir ou s'en servir : Progrès de profession.
- Noire : Quelque chose vous empêche d'avancer.
- De couleur : Succession de biens.

ENFANT :
- En voir un ou plusieurs : Grande joie.
- Voir un nouveau-né : Il ne faut pas accepter tout ce que l'on vous offre.
- L'être : Vous cherchez peut-être à retourner dans le passé pour des raisons personnelles.

ENFER :
- Y être : Erreurs de parcours.
- S'en échapper : Vous vous sortirez d'un problème budgétaire.

ENFLURE :
- En voir ou en avoir une : Maladie et tristesse.

ENGOURDISSEMENT :
- Être engourdi : Vous ne pourrez réagir à une situation.

ENGRAISSER :
- Engraisser quelqu'un : Prospérité en amour.

- Engraisser un animal : Gros succès.
- Engraisser soi-même : Héritage prochain.

ENNEMIS :
- Vaincre son ennemi : Vous avez trop confiance en vous.
- Être vaincu par son ennemi : Ennuis avec un collègue de travail.
- Parler avec son ennemi : Bonne entente.

ENNUIS :
- En avoir : Quelqu'un s'enrichit grâce à vos efforts.
- En provoquer : Calme et repos.

ENRAGÉ :
- Voir quelqu'un qui est enragé : Bon présage pour la personne qui l'était.
- L'être : Sentiment de violence.

ENSEIGNANT :
Voir Travail.

ENSEIGNEMENT :
- En donner : Les bons conseils des autres peuvent vous être utiles.
- En recevoir : Vous êtes la seul responsable de votre perte.

ENTERREMENT :
- Y assister : Signifie l'union ou le mariage.
- Enterrer quelqu'un : Bel avenir en perspective.
- Être enterré : Mauvaises prédictions de tous côtés.

ENTONNOIR :
- En voir ou s'en servir : Vous pourriez prendre goût à l'alcool.

ENTORSE :
- Vous voulez de l'argent qui ne vous appartient pas.

ENTREPÔT :
- Y travailler : Persévérez dans votre travail.
- En posséder un : Vous n'obtiendrez rien pour rien.

ENTREPRENEUR :
Voir Travail.

ENTREPRISE :
- Bonne : Habileté et courage.
- Mauvaise : Vous manquez d'énergie et d'enthousiasme.

ENVELOPPE :
- Confirmation d'un espoir ou d'un projet.

ÉPAULARD :
Voir Poissons.

ÉPAULE :
Voir Anatomie.

ÉPÉE :
- En voir une ou s'en servir : Trahison de votre part.
- En être blessé : Danger de maladie incurable.

ÉPICES :
- Douces : Votre vie manque de piquant.
- Fortes : Attention à votre estomac.

ÉPICIER :
Voir Travail.

ÉPINARD :
Voir Fruits et légumes.

ÉPINGLE :
- En recevoir ou en donner : Malchance.
- S'y piquer : Petits problèmes d'argent.

ÉPONGE :
- En voir ou s'en servir : Vous gaspillez de l'amour pour quelqu'un qui n'en mérite pas.

ÉPOUSE :
- Vous compenserez un mal par un bien.

ÉQUILIBRE :
- Le garder : Votre opinion fait toujours plaisir à entendre.
- Le perdre : Décision à prendre pour un proche.

ÉQUIPE :
- En faire partie et gagner : Vous suivez le bon chemin.
- En faire partie et perdre : Problème d'adversité avec un collègue.

ÉQUITATION :
Voir Sports et loisirs.

ÉRECTION :
Désir sexuel.

ERREUR :
- En faire une : Erreurs répétitives.
- En être victime : Persévérance et progression.

ESCALIER :
- En monter un : Nouvelle découverte.
- En descendre un : Vous retournerez à votre point de départ.
- En débouler un : Plus l'escalier est long, plus l'épreuve sera pénible.

ESCLAVE :
- En voir ou en utiliser un : Vous manquez d'enseignement.
- En être un : Vous partirez et laisserez tout derrière vous.

ESCROC :
- En voir un : Vous perdrez en justice.
- En être un : Chance et honneur.

ESPION :
Voir Travail.

ESSENCE :
- En voir ou s'en servir : Grosse somme d'argent.
- En vendre : Vous aurez besoin d'aide pour redémarrer dans la vie.

ESTHÉTICIENNE :
Voir Travail.

ESTOMAC :
Voir Anatomie.

ESTRADE :
- En voir une : Réunion de famille.
- Y siéger : Grade que vous ne pourrez garder.

ÉTABLE :
- Gêne causée par un manque de puissance sexuelle.

117

ÉTANG :
- En voir un : Signe d'amour et de compréhension.
- Avec de l'eau mouvementée : Nouvelle décevante.

ÉTÉ :
- Indien : Santé, longévité.

ÉTEINDRE :
- Quelque chose : Protégez vos biens personnels ou fin d'une aventure.

ÉTERNUEMENT :
- Éternuer : Passion qui commence.
- Voir quelqu'un éternuer : Plaisir, gaieté.

ÉTINCELLE :
- Risque d'incendie ou amour passager.

ÉTIQUETTE :
- Personnalité bien cachée.

ÉTOILE :
- Brillante : On vous adore.
- Filante : Protégez-vous contre les virus et la contagion.
- Si elle tombait ou disparaissait : Grave accident ou deuil.

ÉTOUFFEMENT :
- S'étouffer : Un proche vous nuira.
- Voir quelqu'un s'étouffer : Malheur, querelle.

ÉTRANGER :
- En voir un : Générosité, bonté.
- En être un : Difficulté à accepter un projet.

ÉTRANGLEMENT :
- Se faire étrangler : Harcèlement fréquent.
- Étrangler quelqu'un : Adversaire anéanti.

ÉTUDE :
- En faire : manque de connaissances.
- Songer à y retourner : Il y a toujours quelque chose à apprendre.

ÉVANGILE :
- Écoutez vos amis, ils sont intelligents.

ÉVANOUISSEMENT :
- S'évanouir : Affaiblissement, vous devriez consulter un médecin.
- Voir quelqu'un s'évanouir : Vous êtes un peu ennueux.

ÉVASION :
- En voir une : Vous êtes trop influençable.
- En faire une : Rupture profitable pour vous.

ÉVENTAIL :
- Succès momentané et tromperie.

ÉVÊQUE :
- En voir un : Beaucoup de respect à votre égard.
- En être un : Mauvaise opinion.

EXAMEN :
- En subir un : On vous testera.
- En faire subir un : Doute persistant.

EXCRÉMENT :
- Grosse rentrée d'argent à venir.

EXCUSE :
- S'excuser : Ne soyez pas aussi sûr de vous.
- En recevoir : Mensonge, tromperie.

EXÉCUTION :
- En voir une : Vengeance inévitable.
- Être exécuté : Vous vous repentirez.

EXPÉDITION :
- Voyage rempli de surprises.

EXPERT :
- En voir un : Manque de confiance.
- En être un : Prenez la vie comme elle se présente.

EXPLORATION :
- Nouvelle tendance.

EXPLOSION :
- En voir une : Vos problèmes seront étalés au grand jour.
- En causer une : Vous avouerez une vérité qui vous causera un choc émotionnel.

EXPOSITION :
- En voir une : Douleur amère.
- En présenter une : Enfin, vous vous exprimez.

EXTERMINATEUR :
Voir Travail.

EXTRA-TERRESTRE :
- En voir : vous avez vos idées, les autres ont les leurs, n'essayez pas de les changer.

Voir Alphabet.

FABLE :
- Satisfaction, aisance.

FACTEUR :
Voir Travail.

FAILLITE :
- Bonheur, mais ménagez-vous.

FAIM :
- Avoir faim : désir réalisé.

FALAISE :
- Ne vous découragez pas, vous réussirez.

FAMILLE :
- Voir ou être en famille : Entente réconciliante.
- Chercher sa famille : Gros manque de confort.

FANAL :
Allumé : Générosité, sentiment profond.
Éteint : Sans cœur, incompatible.

FANTÔME :
- En voir un : Deuil, mortalité.
- En être un : Vous serez aimé et respecté.
- Blanc : Un souhait se réalisera.
- Noir : Immense déception.

FAUCHEUSE :
- Vie remplie de misère.

FAUCON :
Voir Oiseaux et volailles.

FAUSSE COUCHE :
- En faire une : Dispute d'amoureux.
- Voir quelqu'un en faire une : Grossesse, naissance.

FAUTE :
- Remords de conscience.

FAUTEUIL :
Changement d'air profitable.

FAUTEUIL ROULANT:
Voir Transport

FAVEUR :
L'argent vous manquera.

FÉE :
- En voir une : Quelqu'un vous viendra en aide.
- En être une : Votre aide sera appréciée.
- Fée des dents : Bonne éducation.

FÉLICITATION :
- Se faire féliciter : Vous serez honoré.
- Féliciter quelqu'un : Graduation, augmentation.

FEMME :
- En voir une ou plusieurs : Objectif surmonté.
- Être un homme et se voir en femme : Tendance féminine.
- Belle : Espoirs trompeurs.

- Laide : Femme méchante dans votre entourage.
- Blonde ou châtaine : Gaieté, bonté.
- Brune ou noire : Querelle, dispute.

FÉMUR :
Voir Anatomie.

FENÊTRE :
- Regarder ou passer à travers : Intrigue, secret.
- Ouverte : Vous avez la chance de réussir.
- Fermée : Vous êtes pris au piège.

FER :
- À repasser : Vous avez besoin d'éliminer certains tracas.
- À cheval : Chance en vacances.
- Fer (métal) : Virilité, force.

FERS (jeu) :
Voir Sports et loisirs.

FERME :
- En voir une : Budget mal organisé.

FERMETURE-ÉCLAIR :
- Ouverte ou cassée : Situation honteuse.
- Fermée : Sexualité restreinte.

FERMIER :
Voir Ttravail.

FERRAILLE :
- En voir : Vous vous débarrasserez de vos vieilles choses.

FESSE :
Voir Anatomie.

FÊTE :
- Foraine : Votre voie manque d'extravagance.
- Sa propre fête : Prouve que vous évoluez.
- Faire la fête : Succès de grande envergure.

FEU :
- D'artifice : Vous ferez un mauvais choix.
- De signalisation : Situation embrouillée.
- En voir ou en allumer un : Amitié difficile à conquérir.
- Le voir éteint ou l'éteindre : Brève misère.
- Passer au feu : Abondance en tout.

FEU-FOLLET :
Voir Insectes et reptiles.

FEUILLE :
- En voir ou en ramasser : Joie et prospérité.
- Morte : Fin d'une époque.
- Feuille de livre : Manque d'éducation.

FÉVRIER :
Voir Jours et mois.

121

FIANÇAILLES :
- Se fiancer : Exécutez vos engagements.
- Assister à des fiançailles : Union, mariage.
- Voir quelqu'un qui est fiancé : Chicane et jalousie.

FIDÉLITÉ :
- Ne faites pas de promesses que vous ne pourrez tenir.

FIERTÉ :
- Vous ne pouvez pas tout acheter.

FIÈVRE :
- Vous ne pouvez pas tout acheter.

FIL :
- En voir ou s'en servir : Pauvre, mais à l'aise.
- D'or ou de soie : Amour et paix.
- Électrique : Une certaine affaire vous mettra dans tous vos états.

FILET :
- En voir un : Protégez-vous, quelqu'un cherche à vous nuire.
- Être pris dans un filet : Travail ou union qui n'en vaut pas la peine.

FILLE :
- En voir une : Encouragement, soutien.
- En avoir une : Respectez vos obligations.

FILLEUL :
- Voir son filleul ou en avoir un : Vous aurez une famille nombreuse.

FILM :
- En voir un : Tracas, ennuis.
- Jouer dedans : Rencontre intéressante.
- En produire un : Votre emprise sur les autres est excessive.

FILTRE :
- Il est difficile de vous y soustraire quand vous-même vous ne laissez rien passer.

FIN :
- Du monde : Séparation très douloureuse.

FINE LINGERIE :
Voir Vêtements.

FISSURE :
- Signe de problèmes psychologiques.

FLAMANT ROSE :
Voir Oiseaux et volailles.

FLAMBEAU :
- En voir ou en porter un : On vous désire.
- Éteint : Divorce, rupture.

FLAQUE D'EAU :
- Préparez-vous à une grosse déception.

FLÈCHE :
- En voir une : Fin d'un amour ou d'un projet.
- En lancer une : Vos ambitions vous mettront en danger.
- En être atteint : Risque de malheur.

FLEURS :

Nous avons cru bon de donner ici une brève explication des fleurs, car elles peuvent souvent représenter un côté marquant de votre personnalité. Prenons, par exemple, un rêve où vous cueillez une tulipe : cela voudrait signifier, en premier lieu, que vous vivrez un amour incertain. Le fait de la cueillir voudrait alors dire que vous en tirerez profit et si, en plus, elle était jaune, voici la raison de votre incertitude, l'infidélité. Apprenez à jumeler vos thèmes, cela pourrait vous aider à mieux comprendre vos réactions et vos émotions.

- En bouton : Mariage prochain.
- En bouquet : Amour partagé
- En sentir : L'amour revit.
- En voir : Bien-être, joie.
- En cueillir : Profit.
- En offrir : Vous êtes en amour.
- En recevoir : On vous aime.
- En voir fanées : Fin d'un union.
- De couleur :
    rouge : Amour.
    bleue : Fidélité.
    jaune : Infidélité.
    blanche : Solitude.
    noire : Peur, mort.
    verte : Paix intérieure.
    rose : Amitié.
    violette : Douceur, tendresse.
- Anémone : On échappera par bonheur à une perte.
- Bégonia : Amour mérité.
- Chrysanthème : Bonheur soudain.

- Coquelicot : Retour d'une personne éloignée.
- Iris : Nouvelle plaisante.
- Jacinthe : Ne vous confiez pas trop.
- Jasmin : Fidélité et sensualité.
- Jonquille : Vous aurez beaucoup d'enfants.
- Lilas : Souvenir d'enfance.
- Lys : Vous risquez de ne pas avoir d'enfants.
- Marguerite : Rencontre d'un soir.
- Muguet : Joie immense.
- Oeillet : Réussite qui vous mènera au bonheur.
- Orchidée : Contrariété dans votre ménage.
- Pensée : Réfléchissez avant d'agir.
- Pétunia : Vos efforts vont être couronnés de succès.
- Pissenlit : Fin d'un malaise ou d'une situation inconcevable.
- Rose, rouge : Amour puissant.
    rose : Amitié sincère.
    noire : Tracas, soucis.
    jaune : Infidélité.
    blanche : Vous manquerez d'affection.
- Tournesol : Vous ferez une découverte.
- Tulipe : Amour incertain.
- Violette : Sagesse, harmonie.

FLEURISTE :
Voir Travail.

FLEUVE :
- En voir un : Soyez prudent car le danger vous guette.

FLUTE (traversière) :
Voir Musique.

FOIE :
Voir Anatomie.

FOIN :
- En voir : Travail long et peu payant.
- En faucher : Vie dure, mais belle.
- Frais: Abondance, bonheur.
- Pourri : Harcèlement, soucis.

FOIRE :
- Illusions trompeuses, souffrance intérieure.

FONDRE :
- Trop d'émotions vous causeront d'énormes chagrins.

FONTAINE :
- En voir une : Vous ferez passer le plaisir avant un bon ami dans le besoin.
- Avec de l'eau claire : Tendresse et jouissance.
- Avec de l'eau sale : Désagréments, peine.

FOOTBALL :
Voir Sports et loisirs.

FORCE :
- Signifie probablement une très grande peur cachée.

FORET :
- En voir une : Vous ne pouvez plus cacher vos secrets.
- Être dans la forêt : Gain, grâce à votre courage.

FORT, FORTERESSE :
- En voir un : Difficulté dans vos affaires.
- En ruines : Peine et déception.

- Se trouver à l'intérieur : On vous protégera.

FORTUNE :
- Faire fortune : Tracas causés par l'argent.
- Perdre sa fortune : L'amour s'achève.

FOSSE :
- En voir une : Acquisition désavantageuse.
- En creuser une : Vous cherchez des ennuis.

FOSSÉ :
- En voir un : Attention aux pièges.
- Sauter par-dessus : Vous gagnerez tout, respect, amour et argent.
- Tomber dedans : Mise en garde contre les escroqueries.

FOU :
- L'être : une femme aura besoin de vous.
- En voir un ou plusieurs : Respect bien mérité.

FOUDRE :
Voir Éclair.

FOUET :
- En voir ou en avoir un : Menace, querelle.
- Fouetter quelqu'un : Mauvais jugement.
- Être fouetté : Souffrance, honte.

FOULARD :
Voir Vêtements.

FOULE :
- En voir une ou être dedans : Vous devenez plus important pour les autres.

FOULURE :
- Se fouler un membre : Misère, tristesse.

FOUR :
- Allumé : Chance, avancement.
- Éteint : Perte, scandale.
- À micro-ondes : Vous aimez vous simplifier la vie.

FOURCHE, FOURCHETTE :
- En voir ou s'en servir : Vous réussirez, mais perdrez vos amis.
- Voir quelqu'un s'en servir : Désagrément, ruine.

FOURMI :
Voir Insectes et reptiles.

FOURRURE:
- En voir ou en porter : Fortune, richesse.
- En recevoir une : Union financière.

FOYER :
- En voir un : Vous serez riche.
- Avec du feu : Vie paisible et tranquille.
- Sans feu : Solitude, désespoir.

FRACTURE :
- Se fracturer un membre : Tracas douloureux.
- Voir quelqu'un se fracturer un membre : Vous causerez beaucoup de chagrin.

FRAGILE :
- L'être : Tristesse prochaine.
- Une chose : Soyez plus prudent.

FRAISE :
Voir Fruits et légumes.

FRAMBOISE :
Voir Fruits et légumes.

FRAPPER :
- Quelque chose, une personne : Colère refoulée.
- Se faire frapper : Erreur coûteuse.
- Frapper ou entendre frapper à la porte : Lettre ou appel téléphonique surprenante.

FRAUDE :
- Frauder quelqu'un : Le mal que vous faites vous reviendra.
- Être fraudé : Situation encombrante.

FREIN :
- Appuyer sur les freins : On attend des explications de votre part.
- En manquer : Dans une affaire vous ne pouvez plus reculer.

FRÈRE :
- Voir son frère : Bonne renommée et bonne santé.

FRIANDISE :
- En voir : Problème d'intestin.
- En manger : Trop de gourmandise.

FRISER :
- L'être ou se friser : Vous ferez bonne image à un mariage.
- Voir quelqu'un l'être ou le friser : Perte, sensibilité.

FRITURE :
- Un proche veut s'approprier vos biens.

FROID :
- Avoir froid : Soyez patient, l'amour n'est pas mort.

FRONT :
Voir Anatomie.

FRUITS ET LÉGUMES :

Nous ne parlons jamais assez des fruits et légumes. Cependant, certaines théories nous amèneront à assimiler ces aliments à notre vie amoureuse ou à notre santé. Ils sont normalement de bons présages, mais ne vous réjouissez pas trop vite car leurs significations varient évidemment selon la nature des aliments apparus dans votre rêve. Étaient-ils mûrs? Étaient-ils frais ? Ou bien le contraire. Dans ce genre de rêves, ce sont quelquefois ces petits détails qui font toute la différence.

- En manger : Un fruit, satisfaction intime. Un légume, santé fragile.
- En acheter un : Il n'y a pas de mal à se faire du bien.
- En vendre un : Bagarre entre amis.
- En voir un frais : Révélation troublante.
- En voir un pas mûr : Tristesse et inquiétude.
- En voir un pourri : Querelles, scènes de ménages, etc.

- En préparer ou en faire cuire : Parfait accord conjugal.
- En cueillir : Sagesse.
- Abricot : Visez encore plus haut.
- Ananas : Entreprise au-dessus de vos forces.
- Ail :Secret caché.
- Artichaut :Chagrin de longue durée.
- Asperge : Vous connaîtrez l'amour d'un soir.
- Aubergine Pensez un peu à vous.
- Avocat : Ne jugez pas trop vite.
- Banane : Vous connaîtrez l'acte sexuel.
- Betterave : Amour vrai.
- Bleuet : Naïveté, imprudence.
- Cantaloup : Surprise imprévue.
- Carotte : Escroquerie.
- Céleri : Vous serez trompé.
- Cerise : Vous faites bien l'amour.
- Champignon : Profitez de la vie.
- Chou : Succès en affaires.
- Citron : Déception.
- Citrouille : Récompense.
- Concombre : Vous êtes une vraie bête sexuelle.
- Courgette : Dépenses inutiles.
- Épinard : Santé fragile.
- Fraise : Rencontre amicale.
- Framboise : Rendez-vous qui vous plaira.
- Haricot : Dépression douloureuse.
- Kiwi : Migraine, virus.
- Laitue : Attention à votre santé.
- Maïs : Abondance, réussite.
- Melon d'eau : Déception, chagrin.
- Navet : Triomphe.
- Oignon : Grande peine causée par un secret dévoilé.

- Orange : Dans la vie il y a des hauts et des bas.
- Pamplemousse : Temps perdu.
- Pêche : Révélation amoureuse.
- Piment : Ennemis plus forts que vous, rancune.
- Poire : Union, joie.
- Pois : Fortune et bonheur.
- Pomme : Trahison.
- Pomme de terre : Travail acharné.
- Prune : Satisfaction.
- Radis : Votre routine paralyse vos facultés.
- Raisin : Sensualité et grande abondance.
- Rhubarbe : Vous avez de bons amis.
- Salade : Vie conjugale satisfaisante.
- Tomate : L'infidélité vous nuira.

FUIR :

- Prendre la fuite : Prenez votre courage à deux mains et affrontez vos responsabilités.
- Voir quelqu'un prendre la fuite : Signe de danger imminent.

FUMÉE :

- En voir : Vous subirez les retombées d'une mauvaise décision.
- Noire et épaisse : Maladie, tourment.
- Blanche et légère : Joie passagère.

FUMER :

- Une pipe : Bonne image, mais mauvaise habitude.
- Un cigare ou une cigarette : Dépense imprévue.
- Voir quelqu'un fumer : Cette personne vous embêtera.

FUMIER :

- En voir ou en sentir : Chance d'avancement et de promotion.

FUNÉRAILLES :

- Entente réussie, finira par un scandale.

FUSÉE :

- N'allez pas trop vite, vous pourriez dépasser la limite.

FURET :

Voir Animaux.

FUTUR :

- Le voir ou y être : Avertissement, attention aux fautes graves.

Voir Alphabet.

GAGEURE :

- En faire une : Avenir bon et heureux.
- Gagner : Souhait irréalisable.
- Perdre : Richesse.

GAGNER :

- Quelque chose : Mésentente, aventure malheureuse.

GAI :

- Souffrance et maladie.

GAIN :

- Un ami vous aidera à réussir.

GAINE :

- Le fait de vous fier aux autres vous sera profitable.

GALANT :
- L'être : Nouvelle pénible.
- Voir quelqu'un l'être : humeur chaleureuse.

GALE :
- L'avoir : Les ennuis vous porteront fruit.

GALERIE :
- D'art : Rencontre ennuyeuse.

GALOP :
- Gain rapide.

GANGRÈNE :
- En être atteint : Importante rentrée d'argent.
- Voir quelqu'un d'atteint : Longue maladie.

GANT :
Voir Vêtements.

GARAGE :
- En voir un : Une vie d'ordre assure mieux le bonheur que la richesse.

GARAGISTE :
Voir Travail.

GARANTIE :
- Mauvaise protection, méfiez-vous.

GARÇON :
- En avoir un : Gaieté, amour.
- De café : Ne vous laissez pas influencer.
- D'honneur : Votre décision vous emmènera au succès.

GARDE :
- Surveillez vos arrières.

GARDE-MANGER :
- Bonne renommée, bonne maison.

GARDIEN :
Voir Travail.

GARE :
- En voir une : Nouvelle qui changera votre vie.

GAUCHE :
- Être gauché : Cœur sensible.
- Maladroit : Sexualité extravagante.

GAZ :
- Fuite ou senteur de gaz : Danger, secret mal gardé.
- Allumé : Réussite, gain.
- Éteint : Perte, tracas,

GAZELLE :
Voir Animaux.

GAZON :
Voir Herbe.

GÉANT :
- En voir un : Protection, profit.
- En être un : Peur non fondée.

GEL :
- Être gelé : Problème de santé.

GENCIVE :
Voir Anatomie.

GENDARME :
- En voir un : Mariage de bonheur.

- En être un : Ne vous prenez pas trop pour un autre.

GÉNÉCOLOGUE :
Voir Travail.

GÉNÉRAL :
- En être un : Vous vivrez dans la dignité.
- En voir un : Après les soucis, le plaisir.

GÉNÉROSITÉ :
- Être généreux : Il est trop tard pour vous racheter.
- Voir quelqu'un de généreux : Tristesse que vous méritez.

GÉNIE :
- En voir un : Il est temps de réaliser vos désirs.
- En être un : Générosité, bonté.

GENOU :
Voir Anatomie.

GIBIER :
- Fortune de courte durée.

GIFLE :
- En donner une : La personne qui vous intéresse vous blessera.
- En recevoir une : Vous serez provoqué.

GILET :
- Tromperie, escroquerie.

GIRAFE :
Voir Animaux.

GIROUETTE :
Instabilité en affaires et en amour.

GLACE :
- Votre froideur vous empêche de vous amuser.

GLACIER :
- En voir un : Projet qui tarde.

GLACIÈRE :
- En voir ou en utiliser une : Affaiblissement en tout.

GLADIATEUR :
- En voir un : Attention, signe de querelle.
- En être un : Vous êtes un ennemi redoutable.
- En affronter un : Courage à toute épreuve.

GLANDE :
Voir Anatomie.

GLISSADE, GLISSER :
- Gardez votre sang froid, ne commettez pas d'erreurs que vous pourriez regretter.

GLOBE TERRESTRE :
- Longue attente.

GLOIRE :
- Vous réussirez avec l'appui d'un ami.

GOBELET :
- Signifie un risque de cambriolage.

GOÉLAND :
Voir Oiseaux et volailles.

GOLF (golf miniature) :
Voir Sports et loisirs.

GOMME :
- En voir ou en mâcher : Achat inutile et coûteux.

GORGE :
Voir Anatomie.

GORILLE :
Voir Animaux.

GOUDRON :
- En voir : Liaison non désirée, mais honnête.
- En renverser : Prompt rétablissement.

GOURMANDISE :
- Cela débutera par la flatterie et finira dans votre lit.

GOÛT :
- Bon : Expérience agréable.
- Mauvais : Expérience déplorable.

GOUTTE :
- Vie pénible et ennuyeuse.

GOUVERNAIL :
- En voir un : Ambitions trompeuses.
- En tenir un : Projet insurmontable.

GOUVERNEMENT :
- Vous serez manipulé et trompé.

GOUVERNEUR :
- En être un : Vous désirerez un enfant.
- En voir un : Héritage, récompense.

GRADE :
- Apprenez à vous taire quand vient le temps.

GRAIN, GRAINE :
- En voir : Bon accord en ménage.

GRAISSE :
- En voir ou en boire : Santé délicate.
- En avoir : Risque de mort ; surveillez de très près votre alimentation.
- Tache de graisse : Union agréable.

GRAND ÉCART :
- Honorez votre parole.

GRANDE ROUE :
- En voir une : Profitez du bon temps qui passe.
- En faire un tour : Désir refoulé.

GRANDEUR :
- Être grand : Un grand projet se réalisera.
- Voir quelqu'un de grand : Proposition indécente.

GRANDS-PARENTS :
- Les voir : Réussite, héritage.
- L'être : Vous aurez ou avez beaucoup d'enfants.

GRANGE :
- Vous jouerez le tout pour le tout.

GRATTE-CIEL :
- Une de vos connaissances sera en grande difficulté.

GRATTER :
- Se gratter : Secret dévoilé.
- Voir quelqu'un se gratter : Vous stoppez une escroqueie.

GRAVEUR :
Voir Travail.

GRAVIER :
- En voir : Soyez un peu plus prudent.
- En étendre : Vous éviterez un échec.

GREFFE :
- Vous n'avez que ce que vous méritez.

GRÊLE :
- En voir tomber : Dommage matériel irréparable.

GRENADE, BOMBE :
- En voir une : Projet inquiétant.
- En lancer une : Un peu de réflexion sera bon.
- S'en faire lancer une : Attention, quelqu'un vous nuira.

GRENAT :
Voir Pierres précieuses.

GRENIER :
- C'est avec l'endurance et la persévérance que vous vaincrez.

GRENOUILLE :
Voir Animaux.

GRILLE :
- En voir une : Récompense pour votre patience.

GRIMACE :
- Ne vous fiez pas aux apparences.

GRIMPER :
- Avancez lentement, mais sûrement.

GRIS :
Voir Couleur.

GROS :
- L'être : Gain et profit.
- Ne plus l'être : Faillite, pauvreté.
- Voir quelqu'un de gros : Chance inespérée.
- Voir quelqu'un ne plus l'être : Difficulté de tous genres.

GROSSESSE :
- Vos désirs de changement et tous vos souhaits se réaliseront bientôt.

GROTTE :
- En voir une ou y être : Obstacle très dur à surmonter.
- Y pénétrer : Vous vous lancez dans un domaine trop compliqué pour vous.
- En sortir : Fin d'une misère ou d'un travail.

GRUE :
- En voir ou s'en servir : Pour atteindre votre but vous avez tous les outils en main.

GUÉPARD :
Voir Animaux.

GUÊPE :
Voir Insectes et reptiles.

GUERRE, GUERRIER :
- Voir une guerre ou un guerrier : Ennemi trop fort pour vous.
- Y participer : Chicane dans votre famille.
- La gagner : Espoirs trompeurs.
- La perdre : Vous ferez naître la jalousie et la discorde en vous.

GUICHET :
- En voir un : Vous vous sentirez comme un prisonnier.
- Fermé : Fin d'une époque.

GUIDE :
- En voir un ou le consulter : Ne soyez pas gêné vous avez besoin d'aide, demandez-en.
- En être un : On peut compter sur vous.

GUILLOTINE :
- En voir une : Vous attendez avec impatience le résultat de vos actes.

GUIRLANDE :
- En voir : Tracas de courte durée.
- En installer : Invitation à une fête.

GUITARE SÈCHE, ÉLECTRIQUE :
Voir Musique.

GUITARISTE :
Voir Travail.

GYMNASTIQUE :
Voir Sports et loisirs.

Voir Alphabet.

HABIT OU TOXÉDO :
Voir Vêtements.

HACHE, HACHETTE :
- En voir une : Danger, surveillez vos arrières.
- S'en servir : Travail pénible, mais qui rapporte.

HAIE :
- Buisson : Secret dévoilé, mais ne vous en faites pas.

HAINE :
- En avoir : Votre humeur est parfois déplaisante.
- Voir quelqu'un en avoir : Certaines personnes vous envient.

HALEINE :
- Bonne : Joie et bonheur.
- Mauvaise : Signe d'inquiétudes et de soucis.
- La perdre : Perte douloureuse.

HALTÉROPHILIE :
Voir Sports et loisirs.

HAMAC :
- En voir un ou s'en servir : Voyage, probablement une croisière.

HAMEÇON :
- Un ami vous ment parce qu'il vous craint.

HAMSTER :
Voir Animaux.

HANCHE :
Voir Anatomie.

HANDBALL :
Voir Sports et loisirs.

HANDICAPÉ :
- L'être : Santé qui se détériore.
- En voir un : Chagrin immense.
- Mental : Personne ne vous comprend.
- Physique : Maladie de courte durée.

HANGAR :
- En voir un : Vacances bien méritées.

HANTER :
- Avant de songer aux autres, il faut songer à soi-même.

HAREM :
- En voir un : Ne vous laissez pas déconcentrer.
- En avoir un : Malheur, catastrophe.

HARICOT :
Voir Fruits et légumes.

HARMONICA :
Voir Musique.

HARNAIS :
- En voir un : Cherchez-vous un emploi car vous perdrez le vôtre, ou votre revenu actuel.

HARPE :
Voir Musique.

HASARD :
- Jeu : Arrêtez votre petit jeu et honorez vos obligations.

HAUT-PARLEUR :
- En voir : Lettre ou téléphone très attendue.
- En entendre jouer de la musique : Fin d'une harmonie.

HÉLICOPTÈRE :
Voir Transports.

HÉMORRAGIE :
- En faire une : Risque de maladie mentale.
- Voir quelqu'un en faire une : Attention, un de vos amis porte un virus.

133

HERBE :
- En voir : Quelqu'un cherche à vous anéantir.
- En cueillir : Prompt rétablissement.
- En manger : Vous aurez profit à vous ridiculiser.

HÉRISSON :
Voir Animaux.

HÉRITAGE :
- En donner un : Votre argent vous causera bien des problèmes.
- En recevoir un : Préparez-vous à tout perdre.

HÉROS :
- En être un : Restez vous-même, ne changez pas.
- En voir un : Procès scandaleux.

HEURE :
- Demander l'heure : Rendez-vous important.
- Regarder l'heure : Attente, patience.

- 1 heure : Pureté.
- 2 heures : Bonheur.
- 3 heures : Chagrin.
- 4 heures : Plaisir.
- 5 heures : Dur travail.

- 6 heures : Fin d'un travail.
- 7 heures : Gaieté.
- 8 heures : Soirée agréable.
- 9 heures : Amourette.
- 10 heures : Malchance.
- 11 heures : Risque de danger.
- 12 heures : Danger.

HIBOU :
Voir Oiseaux et volailles.

HIPPOPOTAME :
Voir Animaux.

HIRONDELLE :
Voir Oiseaux et volailles.

HOCHET :
- En voir un : Naissance, grossesse.

HOCKEY :
Voir Sports et loisirs.

HOMARD :
Voir Poissons.

HOMME :
- En voir un : La loi vous surveille.
- Être une femme et se voir en homme : Nouvelle orientation sexuelle.
- Brun : Possessif, loyal.
- Blond : Protection assurée.

HOMOSEXUEL :
- En être un : Souvenir traumatisant.
- En voir un : Vous avez des amis très sincères.

HONNEUR :
- En recevoir : Vie honnête et loyale.
- En faire à quelqu'un : Chagrin consolable.

HONTE :
- En éprouver : Souvenir regrettable.
- Faire honte à quelqu'un : Ayez plus de sincérité.

HÔPITAL :
- En voir un : Situation douloureuse.
- Être hospitalisé : Forte santé.
- Visiter quelqu'un : Maladie contagieuse.

HORLOGE :
- En voir une : Appréciez le temps qui passe.
- En entendre une sonner : Il est temps pour vous de changer.

HOSTIE :
- En voir : Bonheur après la souffrance.
- En manger : Vous vivrez en paix.

HÔTEL :
- En voir un : Infidélité.
- En posséder un : Richesse intérieure.
- Luxueux : Grande soirée.
- Modeste : Dépensez selon vos moyens.

HUILE :
- En voir : Désir de repos inaccessible.
- En boire : Mélancolie, solitude.
- En verser ou en répandre : Profit perdu.
- Qui brûle : Soyez plus attentif.

HUISSIER :
- En voir un : Votre entêtement vous entraînera dans un procès.

- En être un : Vous devrez accomplir une fâcheuse tâche.

HUIT :
Voir Nombres.

HUMIDITÉ :
- La discrétion est une qualité.

HUMILIATION :
- Humilier quelqu'un : Gros défaut.
- Se faire humilier : Vous ne méritez pas mieux que ce que vous avez.

HUMORISTE :
Voir Travail.

HUMOUR :
- Sachez vous divertir.

HURLEMENT :
- En entendre : Avertissement, danger.
- Hurler : Débarrassez-vous de tous vos tracas.

HYDRAVION :
Voir Transports.

HYÈNE :
Voir Animaux.

HYGIÉNISTE :
Voir Travail.

HYMNE :
- L'entendre : Ne vous laissez pas mener par le bout du nez.
- Le chanter : Grande fierté.

135

HYPNOSE :
- Hypnotiser quelqu'un : Vous aimez influencer les gens.
- Être hypnotisé : Vous êtes très influençable.

HYPNOTISEUR :
Voir Travail.

HYPOCRITE :
- L'être : Votre manigance échouera.
- En voir un : Restez sur le droit chemin.

HYSTÉRIQUE :
- L'être : Vous manquez de tact.
- En voir un : Chance incroyable.

Voir Alphabet.

IDENTITÉ :
- Pièce ou carte : Vous serez confus.

IDIOT :
- L'être : Il faut parfois faire des sacrifices pour réussir.
- En voir un : Contrariété et désagrément.

IDOLE :
- Tout ce qui est avantageux, coûte cher à acquérir.

IGLOO :
- En voir un : Manque de protection.
- En faire un : Bonne protection, vous n'avez rien à craindre.

ÎLE :
- En voir une ou y vivre : Manque d'amour.
- Déserte : Solitude, ennui.

ILLUSIONNISTE :
Voir Travail.

IMITATION :
- En faire une : Restez naturel.
- Voir quelqu'un en faire une : Ne vous fiez pas trop aux autres.

IMMORTALITÉ :
- Une certaine personne morte vous manquera.

IMPERMÉABLE :
Voir Vêtements.

IMPOT :
- En payer : Erreur qu'il vous faut payer.
- En faire : Situation regrettable.
- En recevoir ou en attendre : Vous aurez des reproches.

IMPRIMERIE :
- Lettre de mauvais augures.

IMPRIMEUR :
Voir Travail.

INCENDIE :
- En voir un : Victoire inespérée.
- En allumer un : Misère de courte durée.
- En éteindre un : Protégez vos biens.

INCESTE :
- Commettre l'inceste : Problème psychologique.

- Voir quelqu'un commettre l'inceste : Réconciliation dangereuse.

INCOMPÉTENCE :
- Où est donc votre confiance ?

INCONNU :
- En voir un : Nouvelle peu souhaitée, mais enrichissante.

INDIEN :
- En voir un : Quelqu'un vous espionne.
- En être un : Difficulté d'acceptation.

INDIGESTION :
- En avoir une : Vous possédez plus que ce que vous méritez.

INFIDÉLITÉ :
- Être infidèle : Signe de contentement, mais si vous l'êtes également dans la vraie vie, cela signifierait le désespoir et le déchirement.

INFIRME :
- L'être : maladie passagère.
- En voir un : tristesse, mélancolie.

INFIRMIER :
Voir Travail.

INGÉNIEUR :
Voir Travail.

INSECTES ET REPTILES :

Il n'y a pas de règles très strictes pour l'interprétation des rêves ; ils signifient souvent la peur, le dégoût, le harcèlement. Pensez, par exemple, à la fourmi, ce n'est peut-être pas le plus bel insecte, mais sûrement un des plus travailleurs. Voyez-en une dans votre rêve et vous comprendrez ce qui vous attend... Travail, travail, travail. Ces rêves peuvent vous encourager à regarder la réalité en face, à moins que vous vous préoccupiez des succès matériels et des problèmes qu'ils peuvent engendrer.

- En tuer un : Un de vos amis vous hait.

- En nourrir un : Vous serez bientôt libre.

- Jouer avec un ou plusieurs : On vous laissera tomber.

- En attraper un : Succès en affaires.

- En manger un : Rentrée d'argent.

- En trouver un : On vous fera une confidence.

- En voir un : Bonheur, joie.

- Se faire piquer ou mordre : Offrez-vous.

- En acheter un : Vous prenez les moyens dont vous disposez.

- Abeille : Heureux présage.
- Araignée : Vous aurez des problèmes avec la justice.
- Barbeau : Gain de poids.
- Cafard : Solitude.
- Chenille : Jalousie à l'égard de la personne aimée.
- Cigale : Heureuse union.
- Cobra : Trahison.
- Coccinelle : Nouvelle vie, jours meilleurs.
- Coquerelle : Dégoût, angoisse.
- Couleuvre : Danger sans prévenir.
- Criquet : Embûche, tracasserie.
- Feu-follet: Changement, encouragement.
- Fourmi : Travail acharné.
- Guêpe : Inquiétude.
- Lézard : Fidélité, sincérité.
- Libellule : Attention aux profiteurs.
- Limace : Vous vous soumettrez.
- Luciole : Progression en affaires.
- Mante religieuse : Vous aurez à combattre.
- Maringouin : Amour, joie.
- Mille-pattes : Voyage d'affaires.
- Mite : Ennui désagréable.

- Mouche : Tracas, maladie.
- Papillon : Pureté de sentiment et de légèreté.
- Perce-oreille : Pauvreté.
- Puce : Grands ennuis, mauvaise conscience.
- Python : Vous avez de mauvais amis.
- Sauterelle : On se servira de vous.
- Scarabée : Ennemis dévoilés.
- Scorpion : Trahison entraînant la violence.
- Serpent : Vous serez trahi.
- Termite : Maladie, virus.
- Tortue : Il vaut mieux avancer à petits pas, mais avec assurance.
- Ver de terre : Crainte, peine.
- Vipère : Handicap causé par un accident.

INFORMATION :
- Vous ne saurez à quoi vous attendre en amour.

INITIATION :
- Se faire initier : Pour avoir ce que vous voulez, vous allez payer le prix.
- Initier quelqu'un ou voir celui-ci se faire initier : Vous vous débarrassez de cette personne.

INJURE :
- En dire : Ne cherchez pas le trouble pour rien.
- S'en faire dire : Chicane d'amis.

INJUSTICE :
- Vous vous donnerez entièrement.

INONDATION :
- En voir une ou en être victime : Gain que vous ne pour-

rez garder.

INQUIÉTUDE :
- Certaines personnes se pencheront sur votre sort.

INSCRIPTION :
- S'inscrire à une activité : Vous vous engagerez à part entière dans un projet.
- Refuser de s'inscrire : Refus, mécontentement.

INSÉPARABLE :
Voir Oiseaux et volailles.

INSIGNE :
- En voir ou en porter : Fierté, honneur.
- En acheter : L'honneur ne s'achète pas.

INSPECTEUR :
Voir Travail.

INSPECTION :
- En faire une : Vous êtes trop bon.
- En subir une : Celui qui n'a pas de spécialité excelle en rien.

INSTITUTION :
- Peine et tracas.

INSULTE :
- En dire : Gare à vos actes.
- S'en faire dire : Attention aux actes de vengeance.

INTÉRÊTS :
- En payer : Héritage inattendu.
- S'en faire payer : Actes coûteux.
- En charger : Vous offrirez une récompense pour une certaine chose.

INTERPRÉTATION :
- Aide longuement souhaitée.

INTERROGATOIRE :
- En subir un : Sachez garder vos secrets.
- En faire subir un : Vous avez encore beaucoup à apprendre.

INTESTIN :
Voir Anatomie.

INVENTAIRE :
- Quelqu'un veut s'approprier vos biens.

INVENTEUR :
Voir Travail.

INVENTION :
- Vous aurez besoin de grands changements.

INVESTIGATEUR :
Voir Travail.

INVITATION :
- En recevoir une : Vous vous sentirez seul et abandonné.
- En envoyer une : Dépense inutile.

INVALIDE :
- L'être : Désespoir, désespérance.
- En voir un : Votre indiscrétion vous nuira.

IRIS :
Voir Fleurs.

139

IVRESSE :
- Être ivre ou ivrogne : La réalité vous fait peur.
- Voir quelqu'un ivre : Jalousie, mécontentement.

Voir Alphabet.

JACASSER :
- Se voir jacasser : On complotera contre vous.
- Voir quelqu'un jacasser : Tromperie, complot.

JACINTHE :
Voir Fleurs.

JAGUAR :
Voir Animaux.

JALOUSIE :
- La ressentir : Querelle violente.
- Rendre quelqu'un jaloux : Vous vous attirez des ennuis.

JAMAÏCAIN :
Voir Étranger.

JAMBE :
Voir Anatomie.

JAMBE DE BOIS :
- En voir une : Tristesse, peine.
- En avoir une : Vous perdrez une compétition.

JAMBIÈRE :
Voir Vêtements.

JANVIER :
Voir Jours et mois.

JAPONAIS :
Voir Étranger.

JAPPER :
- Entendre japper : Quelqu'un vous veut du mal.
- Japper : Ne vous prenez pas pour ce que vous n'êtes pas.

JAQUETTE :
Voir Vêtements.

JARDIN :
- En voir un : Grande satisfaction.
- En traverser un ou s'y promener : Grossesse, naissance.

JARDINIER :
Voir Travail.

JARGON :
- Malentendu, entêtement.

JASER :
- Entendre jaser : Vous vous sentirez rejeté.
- Jaser avec une ou plusieurs personnes : Rencontre amicale.

JASMIN :
Voir Fleurs.

JAUNE :
Voir Couleurs.

JAUNISSE :
- L'avoir : Santé en péril.
- Voir quelqu'un l'avoir : Chance en affaires.

JAVEL (eau) :
- En voir ou en utiliser : Vous déteindrez sur quelqu'un.

JAVELOT :
Voir Sports et loisirs.

JAZZ :
- En écouter : Votre négligence vous nuira.
- En faire : Problème mental grave.

JEANS :
Voir Vêtements.

JÉSUS :
- Sur la croix : Fin d'une souffrance.
- Le voir ou lui parler : Votre détresse prendra fin.
- Se prendre pour lui : Vous êtes bon et généreux.

JET :
Voir Transports.

JETER :
- Quelque chose : Ingratitude, injustice.

JETON :
- En voir un ou en utiliser : Tentative inutile.

JEU :
- De hasard : Vous devriez prendre vos responsabilités.
- De société : Dispute entre amis.
- De dames : Conflit énervant.
- Gagner : Ruine, perte totale.
- Perdre : Gain, victoire sur vos rivaux.

JEUDI :
Voir Jours et mois.

JEÛNE :
- Vous devrez vous priver pour arriver à votre but.

JEUNE :
- Se voir jeune : N'ayez pas peur de vieillir.
- Jeune fille : Tendance sexuelle exagérée.
- Jeune homme : Mauvaise orientation sexuelle.
- Jeune marié : Union, compagnie plaisante.

JEUNESSE :
- En général : Vie longue et heureuse.

JOAILLIER :
Voir Travail.

JOKER :
- En voir un : Comme le dit l'expression : c'est dans les plus petits pots que l'on trouve les meilleurs onguents.
- L'être : Vous vous sentirez humilié.

JOGGING :
Voir Sports et loisirs.

JOIE :
Voir Joyeux.

JOINT :
- Cigarette de haschisch : Vous

en voulez toujours plus.
- Garniture d'assemblage : Réparez vos erreurs.

JOINTURE :
Voir Anatomie.

JOLI :
- L'être : Tout le monde a son propre charme.
- Ne pas l'être : On ne vous aime pas pour votre apparence.
- Voir quelqu'un de joli : Déception en amour.

JONAS :
- Le voir dans la baleine : Facilité à résoudre un problème.

JONC :
- Promesse non respectée.

JONGLEUR :
Voir Travail.

JONQUILLE :
Voir Fleurs.

JOUAL :
- Le parler : Votre franchise est votre plus grand qualité.
- L'entendre : On sera franc avec vous.

JOUE :
Voir Anatomie.

JOUER :
- À quelque chose : Vitalité, entrain.
- Voir quelqu'un jouer à une chose : Vous serez mis à part.
- Perdre : Des dépenses inatten-

dues vous ruineront.
- Gagner : Rentrée d'argent inattendue.

JOUET OU JOUJOU :
- En voir ou en utiliser : Votre enfance vous manque.
- En acheter ou en offrir : Il est trop tard pour vous racheter.

JOUFFLU :
- L'être : On vous taquinera.

JOUISSANCE :
- Jouir : Manque de plaisir .
Voir ou faire jouir quelqu'un : Vous êtes un peu voyeur.
- Incapacité de jouir : Fidélité ou impuissance.

JOURS ET MOIS :

Se souvenir d'une journée ou d'un mois en particulier est généralement difficile à définir, parce que ceux-ci vous sont peut-être démontrés pour achever la définition de votre rêve. Par exemple, vous rêvez que vous êtes entré dans l'armée le sept. Cela signifierait peut-être que votre choix vous apportera succès en affaires, alors que le trois voudrait dire que votre succès en affaires ne vous apportera que de la tristesse. Vous pouvez aussi, si vous en avez le souvenir, jumeler ces définitions au mois et à la journée. Par exemple, mardi le sept août, vous entrez dans l'armée, la conclusion pourrait être plus intéressante.

- Début de journée : Nouvelle

affaire ou nouveau projet.
- Fin de journée : Fin d'un aspect de votre vie.
- Jour férié : Soucis et tracas.
- Jours défavorables : 1, 12, 13, 17, 18, 19, 22, 25, 26, 28.
- Jours favorables : 2, 4, 6, 10, 14, 16, 20, 21, 23, 27.
- Vivre au jour le jour : Détendez-vous donc un peu.

- Date :

1- Santé menacée
2- Plaisir en vacances.
3- Tristesse.
4- Joie, succès.
5- Ennuis, tracas.
6- Bonnes affaires.
7- Bons choix.
8- Bon voyage.
9- Aucun souci à vous faire.
10- Bonheur immense
11- Solitude intérieure.
12- Malheur, déception.
13- Nouvelle troublante, décision.
14- Grande satisfaction.
15- Aucun changement.
16- Heureux en amour.
17- Mauvais projet.
18- Problème de santé.
19- Solitude, ennuis.
20- Héritage, gain.
21- Fête, soirée.
22- Mauvaise journée.
23- Réjouissance, honneur.
24- Routine ennuyeuse.
25- Menace, querelle.
26- Trahison, déshonneur.
27- Profit en affaires.
28- Vous serez délaissé.
29- Vacances, loisirs.

30- Sexualité profonde.
31- Changements radicaux.

- Mois :

- Janvier : Sincérité, fidélité.

- Février : Guérison, rétablissement.

- Mars : Certitude, bonne décision.

- Avril : Les tracas avant la réussite.

- Mai : Amour loyal.

- Juin : Recul dans les affaires.

- Juillet : Le meilleur reste à venir.

- Août : Réjouissance trop rapide.

- Septembre : Peur imaginaire.

- Octobre : Risque de mort.

- Novembre : Soyez sur vos gardes.

- Décembre : Voyage, affaires bien gérées.

- Journée :

- Dimanche :Soyez plus sûr de vous.
- Lundi : Travail acharné.
- Mardi : Affaire fructueuse.
- Mercredi : Vie longue et ennuyeuse.
- Jeudi : Vous gérez mal votre

budget.
- Vendredi : Sortie en perspective.
- Samedi : Vacances bien méritées.

JOURNAL :
- Le voir ou le lire : Un fait quotidien vous manquera.
- Entendre crier «journal» : Argent dépensé inutilement.
- Être dans le journal : Secret dévoilé.

JOURNALIER :
Voir Travail.

JOURNALISTE :
Voir Travail.

JOUTE :
- Quelconque : Fatigue et paresse.

JOYAUX :
- Fiançailles ou mariage réussi.

JOYEUX :
- L'être : Toute bonne chose a une fin.
- Voir quelqu'un l'être : Ne soyez pas jaloux.
- Rendre quelqu'un joyeux : Vous êtes bon envers les autres.

JUDAS :
- Se faire traiter de Judas : On cherche à vous nuire.
- Traiter quelqu'un de Judas : Regardez-vous avant de parler des autres.

JUGE :
Voir Travail.

JUGEMENT :
- Être jugé à tort : Attention aux hypocrites.
- Juger quelqu'un : Votre sens de la loyauté pourrait vous nuire.

JUIF :
- L'être : Soyez rusé et vous réussirez.
- En voir un : Vous vous ferez jouer dans le dos.

JUILLET :
Voir Jours et mois.

JUIN :
Voir Jours et mois.

JUJUBE :
- En voir ou en manger : Qualité de vie envieuse.

JUKE-BOX :
- En voir un ou y faire jouer une chanson : Sortie en perspective.
- L'entendre : Vous manquerez une belle soirée.

JUMEAUX :
- Identiques : Décision difficile.
- Différents : Mauvais choix.
- Avoir un jumeau frère ou sœur : Quelqu'un de votre entourage peut vous soutenir.

JUMELER :
- Quelque chose : Il n'est pas trop tard pour recoller les morceaux.

JUMELLES (accessoire) :
- En voir ou s'en servir : Vous voyez les choses en grand.

JUNGLE :
- S'y trouver : Vous vous sentirez perdu.
- S'y perdre : Difficulté à surmonter.

JUPE, JUPON :
Voir Vêtements.

JURER :
- Quelque chose : Ne soyez pas certain.

JURISTE :
- En voir un ou lui parler : Désagrément, malentendu.
- En être un : On vous trouvera ennuyeux.

JURY :
- En faire partie : Vous aurez votre mot à dire.
- En voir un : On vous reprochera certaines choses.
- Attendre le verdict du jury : Vous prévoyez vous faire prendre.

JUS :
- En boire ou en voir : Vous regretterez vos gestes commis dans le passé.
- En renverser : Long remords de conscience.

JUSTE :
- L'être : Vie honnête et sincérité.

JUSTICE :
- La respecter : Joie et satisfaction personnelle.
- Ne pas la respecter : Chagrin et châtiment.
- Être entre les mains de la justice :

Avenir décevant.

JUSTIFIER :
- Se justifier : Vous aurez très peur.
- Attendre une justification : On aura des comptes à vous rendre.

JUTEUX :
- Satisfait sexuellement.

JUVÉNILE (délinquant) :
- Vivez votre vie pendant que vous le pouvez.

Voir Alphabet.

KANGOUROU :
Voir Animaux.

KIOSQUE :
- À journaux : Risque de dépression nerveuse.
- De musique : Soirée très sentimentale.

KIWI :
Voir Fruits et légumes.

KOALA :
Voir Animaux.

KYSTE :
- Savoir se taire, c'est éviter bien des désagréments.

Voir Alphabet.

LABORATOIRE :
En voir un : Manque de connaissance.
Y travailler : Bonne instruction.

LABOUREUR :
Voir Travail.

LABYRINTHE :
- En voir un : Attention, projet très compliqué.
- S'y perdre : Complication, désagréments.
- Y retrouver son chemin : Résolution d'un problème ou d'une intrigue.

LAC :
- En voir un : Votre décision est très attendue.
- Eau sale ou mouvementée : Peine et ennui.
- Eau claire et calme : Bien-être, satisfaction.
- S'y baigner : Conquête charmante.

LACET :
- Amis peu présentables ou voyage désolant.

LÂCHETÉ :
- Être lâche : vous serez déshonoré publiquement.

LAINE :
- À chaque personne ce qui leur appartient.

LAISSE :
- Quelqu'un vous a à l'œil.

LAIT :
- En voir ou en boire : Santé resplendissante.
- De chèvre : Illusions trompeuses.
- En avoir dans les seins : Prédiction de grossesse.

LAITIER :
Voir Travail.

LAITON :
- Escroquerie.

LAITUE :
Voir Fruits et légumes.

LAMA :
Voir Animaux.

LAME :
- Fin d'une dispute avec une femme.

LAMENTATION :
- En entendre : Un ami a besoin de vous.
- Se lamenter : Ne désespérez pas.

LAMPE :
- Allumée : Vous connaîtrez joie et bonheur.
- Éteinte : Vous faites fausse route dans une affaire.
- De poche : Tracas résolus.

LANCE :
- En voir une : Querelle en vue.
- En lancer une : Une vieille peine renaîtra.

LANCEMENT :
- Situation nouvelle ou nouveau projet.

LANCER DU DISQUE :
Voir Sports et loisirs.

LANGAGE :
- Étranger : Gare aux étrangers.
- Vulgaire : Soirée qui tournera mal.

LANGOUSTE :
Voir Poissons.

LANGUE :
Voir Anatomie.

LAPIN :
Voir Animaux.

LARME :
- Vous réussirez à vous détendre.

LARYNX :
Voir Anatomie.

LATIN :
- Le parler : Cachotterie de mauvais goût.
- L'entendre : Tourment, inquiétude.

LAVER :
- Quelque chose ou se laver : Vous vaincrez par votre endurance.
- Voir quelqu'un se laver ou laver une chose : Ennuis très probables.

LÉCHER :
- Joie immense causée par un de vos amis envers qui vous devriez être reconnaissant.

LEÇON :
- En recevoir une : Bon contact.
- En donner une : Vous serez honoré pour votre générosité.

LECTURE :
- Lire un livre ou une lettre : Vous vous renseignerez sur une certaine personne.
- Voir quelqu'un lire : Méfiez-vous des curieux.
- Lire un journal : Nouvelle qui vous concerne.

LENTILLE :
- Certaines personnes vous causeront des contrariétés.

LÉOPARD :
Voir Animaux.

LESSIVE :
- La faire : Renouement avec votre conjoint.
- Voir quelqu'un la faire : Détérioration de votre vie de couple.

LETTRE :
- En voir ou en lire une : Nouvelle intéressante.
- En recevoir : Des gens honnêtes vous aideront.
- En envoyer : Votre aide sera très appréciée.
- En écrire une : Désir de réconciliation.
- Déchirée : Fin d'un amour ou d'une amitié.

LEVER DU SOLEIL :
- En voir un : Paix et joie.

LÈVRE :
Voir Anatomie.

LÉVRIER :
- Course : Argent perdu inutilement.

LÉZARD :
Voir Insectes et reptiles.

LIANE :
- Vous aurez besoin d'un support moral.

LIBELLULE :
Voir Insectes et reptiles.

LIBERTÉ :
- La perdre : Vous êtes trop possessif.

LIBRAIRE :
Voir Travail.

LIBRAIRIE :
- En voir une : Exploitez vos ambitions.

LICENCIEMENT :
- Se faire licencier : Bonne vie assurée.
- Voir quelqu'un se faire licencier ou licencier quelqu'un : Manque de confiance.

LICORNE :
- Tous vos souhaits de bonheur se réaliseront.

LIÈVRE :
Voir Animaux.

LILAS :
Voir Fleurs.

LIMACE :
Voir Insectes et reptiles.

LIMONADE :
- En voir ou en boire : Bonne économie.
- En préparer : Manque de sincérité.

LIMOUSINE :
Voir Transports.

LINGE :
- Sale : Souvenir honteux.
- Propre : Période enrichissante.
- À vaisselle : Amour franc et profond.

LION :
Voir Animaux.

LIQUEUR :
- En voir ou en boire : Amour durable et sincère.
- En servir ou en offrir : Bonne influence.
- En renverser : Pauvreté à venir.

LIT :
- En voir ou en faire un : Bonheur conjugal.
- Y être couché : Désir sexuel.
- Confortable et très propre : Repos bien mérité.

- Inconfortable et sale : Mort dans la famille, probablement une femme.

LIVRE :
- En voir ou en lire un : Instruction, savoir.
- De prières : Vous devriez vous confesser.
- En écrire un : Vous en aurez beaucoup à montrer.
- En détruire ou en jeter un : Tout le monde a quelque chose à apprendre.

LIVREUR :
Voir Travail.

LOCATAIRE :
- En être un : Il ne faut pas prendre sans demander.
- En avoir un : Tôt ou tard il vous faudra payer.

LOGE :
- Quelqu'un est très jaloux de vous et de vos avoirs.

LOGEMENT :
- Les promesses qu'on vous a faites sont fausses.

LOI :
- Tout ce qui se rapporte à ce mot indique que vous aurez
des problèmes avec la justice.

LOTERIE :
- Gagner : Grosse perte.
- Perdre : Gain d'envergure.
- Jouer à la loterie : Un jour la chance vous sourira.

LOUP :
Voir Animaux.

LOUPE :
- En voir une : Ami très dévoué.
- En utiliser une : Vous découvrirez un secret bien gardé.

LOYER :
- En payer un : Obligation bien menée.
- En réclamer un : Arrêtez de tout renoter.

Luciole :
Voir Insectes et reptiles.

LUMIÈRE :
- Allumée : Fin d'un chagrin ou d'une angoisse.
- Éteinte : Signifie que vous n'êtes pas une lumière.

LUNDI :
Voir Jours et mois.

LUNE :
- Brillante : Offre d'un travail plus qu'intéressante.
- Pleine : Succès en tout.
- Demi-lune : Projet mené qu'à moitié.
- Nouvelle : Affaire profitable.
- Sombre : Méfiez-vous des personnes méchantes.
- De miel : Vous prendrez un nouveau départ.

LUNETIER :
Voir Travail.

LUNETTES :
- En voir ou en porter : Réveillez-vous, une chose très importante vous passe sous le nez.
- Brisées : On pense du mal de vous.

LUSTRE :
- En voir un : nouvelle agréable à entendre.

LUTTE :
- Perdre : Divorce contre votre gré.
- Gagner : Entente à l'amiable.
- Voir quelqu'un lutter : Reproche douloureux.

LUXE :
- Vivre dans le luxe : Diminution d'économie.

LYNX :
Voir Animaux.

LYS :
Voir Fleurs.

Voir Alphabet.

MACARON :
- Vous méritez un salaire plus élevé pour le travail que vous faites.

MÂCHER :
- Quelque chose : Discussion imposante qui vous dévalorisera.

MÂCHOIRE :
Voir Anatomie.

MADONE :
- Cela signifie peut-être un manque d'attention envers votre mère.

MAGASIN :
- Y entrer : Bonne idée de placement.
- En sortir : Perte de bénéfices.
- En voir ou en avoir un : Vous serez tourmenté par une suggestion.

MAGAZINE :
- En voir ou en lire un : Vous ferez la rencontre d'une personne très aimable.

MAGICIEN :
Voir Travail.

MAGIE :
- En faire de la noire : Malice et danger.
- En faire de la blanche : Signe de pureté.
- En être victime : Attention à ne pas vous faire ensorceler.

MAI :
Voir Jours et mois.

MAIGRIR :
- Se voir maigrir : Vous participerez à une expérience qui vous changera.
- Voir quelqu'un maigrir : Maladie pour cette personne.

MAILLOT DE BAIN :
Voir Vêtements.

MAIN :
Voir Anatomie.

MAIRE :
- En voir un : Vous ferez bientôt la connaissance d'un homme qui vous sera très utile.
- En être un : Vous méritez votre dignité.

MAÏS :
Voir Fruits et légumes.

MAISON :
- En voir ou en avoir une : Vous êtes à l'abri de tout souci.
- En construire une : Vie familiale paisible.
- Maison de correction : Vous êtes responsable de votre propre sort.
- Maison de joie : Attention à vos gestes, on vous surveille.
- Maison mobile : Déménagement, changement de ville.

MAÎTRE, MAÎTRESSE :
- En voir une : Vous n'avez pas assez d'autorité.
- En être une : Vous êtes beaucoup trop sévère envers vous-même.

MAL :
- Avoir mal : Belle récompense en guise de remerciement.
- Faire mal à quelqu'un : C'est vous qui subirez le mal que vous faites.

MALADIE :
- En avoir une : Il faut regarder le bon côté des choses.
- Voir un malade : Vous menez une vie trop mouvementée, prenez du repos.

MALAISE :
- En avoir un physique : Allez faire vérifier votre santé.
- En avoir un psychologique : Vous vous en faites trop pour rien.

MALHONNÊTETÉ :
- Prenez la manière la plus facile pour vous sortir d'une situation difficile.

MALLE :
- En voir ou en avoir une : Vous hésitez trop pour faire ce dont vous avez envie.
- En ouvrir une : Trop de curiosité vous nuira.
- En porter une : Voyage plaisant, mais de courte durée.

MALPROPRETÉ :
- Prenez un peu plus soin de vous.

MALTRAITER :
- Se faire maltraiter : On essaie de monter un plan contre vous.
- Maltraiter quelqu'un : Vous ferez une erreur de parcours à cause d'un oubli.

MAMELON :
Voir Anatomie.

MAMMOUTH :
Voir Animaux.

MANCHOT :
- En voir ou en être un : Tromperie, escroquerie.

MANÈGE :
- Plaisir, fantasme exagéré.

MANIFESTATION :
- En voir une : Faites voir aux gens que vous êtes là et que vous avez des droits.
- Y participer : Problèmes avec la loi.

MANNEQUIN :
Voir Travail.

MANTEAU :
Voir Vêtements.

MANTE RELIGIEUSE :
Voir Insectes et reptiles.

MANUFACTURE :
- Dur travail, mais profitable.

MANUSCRIT :
- En voir ou en lire un : Vous êtes rusé et très intelligent.
- En vendre ou en acheter un : Méprise, innocence.

MAQUEREAU :
Voir Poissons.

MAQUILLAGE :
- En voir ou en utiliser : Signifie une cachotterie, un secret.

MAQUILLEUR :
Voir Travail.

MARAIS, MARÉCAGE :
- Période sombre et maussade de votre vie.

MARACAS :
Voir Musique.

MARBRE :
- En voir du noir : Deuil long et pénible.
- En voir du blanc : Héritage très profitable.
- En casser : Grosse peine d'amour.

MARCHAND :
Voir Travail.

MARCHE :
Voir Escalier.

MARCHÉ :
- En voir un vide : Votre vie sera calme et solitaire.
- En voir un rempli de gens : Vous aurez une vie achalandée et plaisante.

MARCHER :
- Si vous marchez lentement et sûrement, vous irez loin dans la vie.

MARDI :
Voir Jours et mois.

MARÉCHAL-FERRANT :
- En voir ou en être un : Difficulté à progresser à cause de votre entourage.

MARGUERITE :
Voir Fleurs.

MARI :
- En avoir un ou en être un bon : Manque de communication entre conjoints.
- En voir un ou en être un mauvais : Vie de famille satisfaisante.

MARIAGE :
- Se marier : C'est peut-être que vous signerez un contrat important.
- Assister à un mariage : Malentendu dans votre mariage.

MARIN :
Voir Travail.

MARINGOUIN :
Voir Insectes et reptiles.

MARIONNETTE :
- En voir une : Vous devriez être plus stable du côté affectif.
- S'en servir : Vous êtes une personne fidèle et très attachante.

MARMITE :
- En voir une pleine : Soirée entre vieux amis.
- En voir une vide : Visite rare.
- S'en servir : N'attendez pas l'aide de votre famille.

MARMOTTE :
Voir Animaux.

MARRAINE :
- En voir ou en être une : Rapport amical entre vous et un collègue de travail.

MARRON :
Voir Couleurs.

MARS :
Voir Jours et mois.

MARTEAU :
- En voir un : Bonne rétribution pour un petit travail.
- En utiliser un : On a le droit de prendre un moment de répit.
- En donner un coup : Vous abusez du mauvais état de quelqu'un.
- En recevoir un coup : Essayez de prendre les choses à la légère.

MASQUE :
- En voir un : Manœuvre déloyale contre vous.
- En porter un : Attention aux malfaiteurs et aux escrocs.
- Démasquer quelqu'un : Vous ferez une découverte fâcheuse.

MASSACRE :
- Ennemis puissants qui peuvent vous nuire.

MASSAGE :
- Se faire masser : Plaisir à contenter.
- Masser quelqu'un : Vous aurez un choix subtil à faire.

MASSEUR :
Voir Travail.

MASSUE :
- Si vous voulez vraiment faire

une chose, vous le pouvez.

MÂT :
- En voir un en bon état : Ne vous privez pas de ce dont vous pouvez profiter.
- En voir un cassé : Ne prenez pas de détour, allez directement au but.

MATELOT :
- En voir un ou plusieurs : Livrez-vous à des activités inhabituelles.
- En être un : Prenez garde à vous, on cherche à vous tendre un piège.

MATHÉMATIQUES :
- En faire : Il est peut-être temps de résoudre un problème.
- Les enseigner : Peut-être ce rêve signifie-t-il une envie de retourner aux études.

MATIN :
- Nouveau départ pour un grand projet.

MAUVAISES HERBES :
- En voir : Vous devriez choisir des meilleures fréquentations.
- En arracher : Obstacle qui vous empêche d'arriver à votre fin.

MAUVAIS SORT :
- En jeter un : Vous devriez faire preuve de plus de prudence.
- S'en faire jeter un : Un ami angoissé réclame votre aide.

MAUVE :
Voir Couleurs.

MÉCANICIEN :
Voir Travail.

MÉCANIQUE :
- Corrigez vos erreurs.

MÉCHANCETÉ :
- En être victime : Victoire, dignité.
- Être méchant : Le mal que vous faites se retournera contre vous.

MÈCHE :
- Richesse, changement.

MÉDAILLE :
- En voir une : Signe de bravoure.
- En recevoir une : Vous aurez l'aide d'une personne très distinguée.
- En donner une : Vous vous éloignerez de beaucoup de monde.

MÉDECIN :
Voir Travail.

MÉDICAMENT :
- En voir : Quelqu'un aimerait bien vous voir sur un lit d'hôpital.
- En prendre : Vous remplacerez un objet ou un bien perdu.
- En donner à quelqu'un : Regret de votre part.

MÉDITATION :
- Prenez bien le temps de réfléchir avant d'agir.

MELON D'EAU :
Voir Fruits et légumes.

MÉMOIRE :
- En avoir beaucoup : C'est le idéal temps pour les bonnes affaires.

- La perdre : Vous avez perdu votre temps avec un projet inutile.

MENACE :
- En faire : Vous devrez obéir à quelqu'un que vous ne portez pas dans votre cœur.
- Être menacé : Le succès vous attend au bout de la ligne.

MÉNAGE :
- En faire : Vie saine et bien ordonnée.

MENDIANT :
- En voir un : Déception, malhonnêteté.
- En être un : Vie amoureuse heureuse.

MENOTTES :
- En voir : Arrêtez votre besogne et prenez une pause.
- En porter : Vous aurez le coup de foudre pour la personne idéale.

MENSONGES :
- En dire : Vous vous faites des illusions.
- En entendre : On aura l'obligation de vous soumettre à une situation désagréable.

MENSTRUATION :
- Vous prendrez une habitude.

MENTHE :
- Vous vivrez une expérience sensuelle.

MENTON :
Voir Anatomie.

MENU :
- En voir un : Votre attitude envers les autres est parfois déplaisante.
- S'en servir : Vos désirs seront bientôt réalités.

MENUISIER :
Voir Travail.

MER :
- La voir calme : Grand plaisir familial.
- La voir agitée : Troubles sociaux, période d'angoisse.

MERCREDI :
Voir Jours et mois.

MERLE :
Voir Oiseaux et volailles.

MERVEILLE :
- En voir une : Fantasme irréalisable.
- En faire une : Plaisir d'apprendre.

MESSAGE :
- En recevoir un : Mauvaise nouvelle.
- En envoyer un : Grande nouvelle provenant de loin.

MESSE :
- Dire la messe : Sort douloureux.
- L'entendre dire : Ayez la foi et Dieu vous bénira.

MÉTAL :
- Grande richesse.

MÉTAMORPHOSE :
- En voir une : N'essayez pas de changer quelque chose dans votre

entourage, car ce sera pire.
- En subir une : Modification à faire sur le plan immobilier.

MÉTÉORITE :
- En voir un : Surprise étonnante.
- En trouver un : richesse, honneur.

MÉTIER :
Voir Travail.

MÉTRO :
Voir Transports.

MEUBLE :
- En voir ou s'en servir : Vous avez un esprit créatif, démontrez-le.
- En acheter : Dure responsabilité à assumer.

MICKEY MOUSE :
- Le voir : Vous essayez peut-être de faire ce que vous n'avez pas fait en étant jeune.

MICROSCOPE :
- En voir ou en utiliser un : Ce n'est rien, n'en faites pas une histoire.

MIEL :
- En voir ou en manger : Événement heureux.
- Doux : Situation amère.
- Trop sucré : Fausse amitié.
- Lune de miel : Nouveau départ.

MIGRAINE :
- Pauvreté et détérioration de la situation.

MILITAIRE :
Voir Soldat.

MILLE-PATTES :
Voir Insectes et reptiles.

MIME :
- Mimer : Apprenez à penser avant de parler.
- Voir quelqu'un mimer : Besoin de tranquillité.

MINE :
- Temps perdu.

MIRACLE :
- En être témoin : Événement fascinant.
- En faire un : Projet irréalisable.

MIRAGE :
- En voir : Vous êtes aussi bien d'oublier vos désirs, car ils ne se réaliseront pas.

MIROIR :
- En voir ou se voir dans un miroir : Mariage, fiançailles.
- Brisé ou très sale : Malheur de longue durée.
- Déformant : Personne n'est parfait.

MISSION :
- En accomplir une : Nouvelle plaisante.
- En avoir une à accomplir : Certaines personnes ne vous aiment pas du tout.

MITAINE :
Voir Vêtements.

MITE :
Voir Insectes et reptiles.

MITRAILLEUSE :
Voir Arme.

MOBILIER :
- En voir un : Ne gardez aucun secret pour vous, partagez-les.
- En avoir un : Si on vous offre quelque chose, prenez-le.
- En être victime : Votre bonheur fait le malheur des autres.

MODE :
- Défilé de mode : Ayez plus d'audace.
- Suivre la mode : Mauvais placement.
- Ne pas la suivre : Problème de personnalité.

MODÈLE :
- En voir un : Soyez plus créateur.
- En être un : Amourette, joie.

MODÉLISTE :
Voir Travail.

MOELLE :
Voir Anatomie.

MOINE :
- En voir un : Crainte en affaires.
- En être un : Hostilité et persécution.

MOLLET :
Voir Anatomie.

MOMIE :
- En voir une : Vieille rivalité.
- En trouver une : Oubliette, trou de mémoire.

MONASTÈRE :
- En voir un : Grand besoin de détente.
- Être à l'intérieur : Temps calme et paisible.

MONITEUR :
Voir Travail.

MONNAIE :
Voir Argent.

MONSTRE :
- En voir un : Amis trop dangereux.
- Être poursuivi par un monstre : Obstacle traumatisant.
- En être un : Votre goût du risque vous détruira.
- En combattre un : Méfiez-vous de l'adversité.

MONTGOLFIÈRE :
Voir Transports.

MORDRE, MORSURE :
- Mordre quelqu'un : Vous perturberez le bonheur des autres.
- Se faire mordre : Ennemi d'une très grande force.
- Se mordre : Erreur de jugement.

MORGUE :
- Risque de maladie incurable.

MORSE :
Voir Poissons.

MORT, MOURIR :
- Parler ou embrasser un mort : Mariage, union.
- Mourir ou se voir mort : Il n'est jamais trop tard pour se racheter.

MORUE :
Voir Poissons.

MOTEUR :
- Vous ferez naître des complications par votre propre comportement.

MOTOCYCLETTE :
Voir Transports.

MOTONEIGE :
Voir Sports ou Transports.

MOTS CROISÉS :
- En voir ou en faire : Loisir, économie.
- Le réussir : Vous êtes le seul responsable de votre succès.
- Ne pas le réussir : Souvenir secret.

MOUCHE :
Voir Insectes et reptiles.

MOUCHOIR :
- En voir ou en utiliser un : Honte, malentendu.
- Blanc : Intelligence peu extraordinaire.
- Le chercher sans le trouver : Profit qui causera du tort aux autres.

MOUETTE :
Voir Oiseaux et volailles.

MOUFFETTE :
Voir Animaux.

MOUILLÉ :
- L'être ou se mouiller : Vous ferez mauvaise impression.
- Mouiller quelqu'un ou voir quel-

qu'un l'être : Voyez la réalité en face.

MOULIN :
- En voir un qui tourne : Travail de routine.
- En voir un arrêté : Laissez le temps passer avant d'entreprendre un nouveau projet.

MOUSSE :
- En voir : Vous passerez de bons moments avec une personne qui vous est très chère.

MOUSTACHE :
Voir Anatomie.

MOUTARDE :
- En voir : Travail long et ennuyeux, mais très utile.
- En manger : Cela vous suggère peut-être de mettre un peu de piquant dans votre vie amoureuse.
- En faire manger à quelqu'un : Ne vous en prenez pas aux autres pour ce qui vous arrive à vous.

MOUTON :
Voir Animaux.

MUET :
- En voir un : Malentendu entre vous et votre conjoint.
- L'être : Vous éprouvez une certaine difficulté à vous exprimer.
- Essayer de converser avec un muet : On vous empêche de mener une vie tranquille et paisible.

MUGUET :
Voir Fleurs.

MULET :
Voir Animaux.

MULOT :
Voir Animaux.

MUR, MURAILLE :
- En voir une : Obstacle à sur-
monter.
- Le franchir ou sauter par-dessus :
Problème résolu.
- En construire une : Sécurité,
protection.
- Être entre quatre murs : Une
bien mauvaise période va débuter.
- Tomber d'un mur : Tentative
échouée.

MUSCLE :
Voir Anatomie.

MUSCLÉ :
- L'être : Tout dans les bras rien
dans la tête.
- Voir quelqu'un l'être : Adversaire redoutable.

MUSÉE :
- En voir un : Changement de
milieu.
- Y exposer quelque chose : Tel
père, tel fils.

MUSIQUE (instruments) :

Selon son genre, la musique nous
identifie. Par exemple, dans votre
rêve, l'air musical était-il beau ?
Cela serait sûrement meilleur que
s'il était ennuyeux ou que si vous
le détestiez. À vous de juger : la
musique est l'art de combiner les
sons ; alors, peut-être qu'avec ces
courtes définitions vous trouverez
l'art de combiner les airs musi-
caux entendus en rêve avec votre
vie actuelle ou future.

- Jouer d'un instrument : Fidélité
en tout, bonheur.

- Entendre de la musique ou quel-
qu'un jouer d'un instrument :
Vie heureuse et divertissante.
- Voir quelqu'un jouer d'un instru-
ment ou faire de la musique :
Satisfaction et espérance.

- Être incapable de jouer d'un instrument : Espoir trompeur.

- Instrument cassé : Vie triste.

- Musique trop forte : Événement
malheureux.

- Composer de la musique :
Amour harmonieux.

- Musique classique : Vous valez
mieux que ça.

- Accordéon : Tracas, dispute.
- Banjo : Lettre ou message téléphonique important.
- Batterie : Événement insupportable.
- Castagnettes : Bonheur passager.
- Clairon : Soyez un peu plus discret, lettre.
- Clarinette : Vous serez abandonné.
- Cloche : C'est tout ou rien avec vous.
- Contrebasse : Vous serez protégé.
- Cornemuse : Querelle, dispute.
- Cymbale : Vous penserez au mariage.
- Flûte : Peine d'amour, déception.
- Flûte traversière : Quelqu'un de votre entourage vous déteste.
- Guitare électrique : Amoureux et attentionné.
- Guitare sèche : Mauvaise nouvelle.
- Harmonica : Harmonie familiale.

- Harpe : Santé, jouissance personnelle.
- Maracas : Voyage prochain.
- Orgue : Harmonie intérieure, joie.
- Piano : Vous êtes en amour.
- Saxophone : Commérage à propos du sexe.
- Synthétiseur : Difficulté à finir ce que vous aviez commencé.
- Tambour : Nouvelle surprenante et saisissante.
- Tam-tam : L'inattendu vous mettra en colère.
- Triangle : Surprise, étonnement.
- Trombone : La générosité vous nuira.
- Trompette : On aura besoin de vos services.
- Violon : Accident grave.
- Violoncelle : Romantisme, amour fidèle.
- Xylophone : Efforts inutiles, ennuis.

MUSICIEN :
Voir Travail.

MYSTÈRE :
- Bonheur obtenu illégalement.

MYTHE :
- Retour aux sources.

Voir Alphabet.

NAGER :
- Se voir nager : Expansion, agrandissement.
- Voir quelqu'un nager : pour réussir il vous faudra fraterniser.
- Dans l'eau propre : Grâce à votre travail vous récolterez des honneurs.
- Dans l'eau sale : Désagrément et perte.

NAGE SYNCHRONISÉE :
Voir Sports et loisirs.

NAIN :
- En voir un : Adversaire peu redoutable.
- En être un : Face à vos ennemis vous vous sentirez tout petit.

NAISSANCE :
- Voir un bébé naître : Grande possibilité de grossesse.
- Se voir naître : Nouveau départ.

NARINE :
Voir Anatomie.

NATATION :
Voir Sports et loisirs.

NAUFRAGE :
- En faire un : Échec, déception.
- En voir un : Quelqu'un a besoin de vous.

NAVET :
Voir Fruits et légumes.

NAVIGATION :
- Naviguer : Protégez votre argent.

NAVIRE :
Voir Transports.

NÉGOCIATION :
- Augmentation de votre richesse.

NEIGE :
- En voir : Signe de pureté.

NÉNUPHAR :
- Contrariété, avortement.

NERF :
Voir Anatomie.

NETTOYER :
- Quelque chose : Vous serez insulté.
- Se nettoyer : Visite peu souhaitée, mais il faut rester calme.

NETTOYEUR :
Voir Travail.

NEUF :
Voir Nombres.

NEVEU, NIÈCE :
- Pensez un peu plus à votre famille.

NEZ :
Voir Anatomie.

NICHE :
- En voir une : Vous tromperez votre conjoint.
- Être dedans : Vous n'avez pas assez de temps libre.

NID :
- En voir un : Attention à la vie de famille.
- Vide : Un de vos enfants quittera bientôt la maison.
- Avec des œufs ou des oiseaux : Naissance, grossesse.
- Avec des petites bêtes nuisibles : Méchanceté, malhonnêteté.
- En détruire un : Vous causerez beaucoup de dommages.
- En construire un : Sous peu vous déciderez d'avoir un enfant.

NOBLESSE :
- En avoir : Fausses idées ou fausses joies.
- Voir quelqu'un en avoir : But inaccessible.

NOCES :
- Y assister : Conflit, tristesse.
- Être en voyage de noces : Surprise inattendue.

- Assister à ses propres noces : Jalousie bien fondée.

NOËL :
- Le fêter : Sachez apprécier votre entourage.

NŒUD :
- En faire un : Vous vous lierez d'amitié.
- En défaire un : Fin d'un tracas.
- Serré : Chance en tout.
- Desserré : Vous avez la chance de reprendre quelque chose.
- Être incapable de le défaire : Problème insurmontable.

NOIR :
Voir Couleurs.

NOMBRES :

Chaque nombre a une signification précise. Vus en rêve, ils nous incitent à réaliser notre façon de réagir et ainsi traduisent des traits de caractère qui nous sont particuliers. Plus bas, vous trouverez 10 nombres et leurs définitions ; ces définitions peuvent être jumelées. Par exemple, si dans votre rêve vous voyez le nombre 57, cela signifirait d'abord pour le cinq, créativité et intuition, ensuite, pour le sept, réussite et victoire. Peut-être que 57 signifirait-il que votre intuition vous réussira ou bien votre créativité vous fera vaincre. Alors, tentez, si c'est possible, de jumeler les définitions pour un résultat plus net et plus approfondi.

- En voir imprimés ou écrits : Sortez de votre coquille.

- En écrire : Vous êtes très influent.

- En citer : Franchise, sincérité.

- Nombres pairs : L'instabilité et l'erreur.

- Nombres impairs : Création et grande réussite.

- Chiffres romains : Vous changerez de culture.

1 : Nouveaux projets, décision.
2 : Instabilité en tout, intrigue.
3 : Intelligence
ou compréhension.
4 : Aboutissement et stabilité.
5 : Créativité et intuition.
6 : Difficulté à prendre une décision, et très amoureux.
7 : Réussite et victoire.
8 : Justice et épreuve psychologique.
9 : Incite à la prudence, affaire douteuse.
0 : Vie future remplie de sagesse et de bonté.

NOMBRIL :
Voir Anatomie

NOTAIRE :
Voir Travail.

Nourriture :
- En voir : Vous aurez une grande famille.
- En acheter : Faites-vous plaisir.
- En vendre : Querelle entre voisin.

- En manger : Bon signe.
- De la bonne : La vérité sera dure à digérer.
- De la mauvaise ou de l'avariée :
- Inconscience, trouble.
- En préparer ou en couper : Couple harmonieux.
- En congeler ou en réfrigérer : Argent bien gardé.
- Gâteries : Santé menacée.
- En vouloir ou en mendier : Peur, tracas.
- En voler : Vous subirez un manque.
En jeter : Ne vous réjouissez pas trop vite.
Mets français : La vérité éclatera un beau jour.
Mets italiens : Dispute, jalousie.
Mets chinois : Évolution, graduation.
Mets exotiques : Rencontre extravagante.
Mets canadiens : Restez sincère.
Brûlée ou pas assez cuite: bataille avec un de vos amis.

NOUVELLE :
- Nouvel an : La prochaine année est votre année chanceuse.
- En recevoir une : Lettre inattendue.
- En attendre : Tourment, incertitude.
- En donner : Vous posterez une lettre.
- Nouvelle à la télévision : Vous ferez la manchette.
- Bonne : Dans la vie vous en recevrez des mauvaises.
- Mauvaise : Dans la vie vous en recevrez des bonnes.

NOVEMBRE :
Voir Jours et mois.

NOYADE :
- Se noyer : Accumulation de problèmes ou de dettes.
- Voir quelqu'un se noyer : Avantage, succession.
- Être sauvé de la noyade :
- Un ami vous encouragera.
- Sauver quelqu'un de la noyade : Votre aide sera très appréciée.

NOYAU :
Signifie l'honnêteté et la sincérité.

NU :
- L'être : Misère, honte.
- Voir une femme nue : Vous récolterez beaucoup d'honneurs.
- Voir un homme nu : Joie, gaieté.
- oir des enfants nus : Pureté et bonheur.

NUAGE :
- En voir : Risque de tempête, mauvais temps.
- Blanc : Bonté, générosité.
- Sombre : Querelles et soucis.

NUIT :
- Sombre ou noire : Ennuis passagers.
- Étoilée : Demain sera une bonne journée pour régler vos problèmes.
- Calme : Joie familiale.
- Agitée : On se pose beaucoup de questions à votre sujet.

NUMÉRO :
- De téléphone : N'oubliez pas un appel important.
- De loterie : Ne dépensez pas votre argent inutilement.

O

Voir Alphabet.

OBÉISSANCE :
- N'ayez pas peur d'exprimer vos sentiments.

OBÉSITÉ :
- Se voir obèse : Vous avez peur pour rien.
- Voir quelqu'un d'obèse : Longue vie pour cette personne.

OBSCÉNITÉ :
- En dire : Problème sexuel.
- En entendre : Faits que vous devriez oublier.

OBSCURITÉ :
- Être dans l'obscurité : Vous manquerez d'enthousiasme pour continuer.

OBSÈQUES :
- Votre famille ou vos avoirs augmenteront énormément.

OBSTACLE :
- En surmonter un : Résolution d'un problème.
- Ne pas arriver à le surmonter : Grand besoin d'aide.

OBSTINATION :
- Être obstiné : Santé fragile.
- Voir quelqu'un d'obstiné : Grand succès.

OCÉAN :
- Vaste projet d'envergure.

OCTOBRE :
Voir Jours et mois.

ODEUR :
- Bonne : Félicitations, remerciements.
- Mauvaise : Surveillez votre hygiène corporelle.

ŒIL :
Voir Anatomie.

ŒILLET :
Voir Fleurs.

ŒUF DE PÂQUES :
- Vous tomberez amoureux.

OIE :
Voir Oiseaux et volailles.

OIGNON :
Voir Fruits et légumes.

OISEAUX ET VOLAILLES :

Abordons maintenant les oiseaux et les volailles. Lorsque ceux-ci apparaissent dans vos rêves, ils peuvent totalement les modifier. En principe, ils sont de bons présages, ils attirent le plus souvent la réussite, le succès et la richesse. Leurs définitions peuvent facilement coïncider avec leurs faits et gestes. De nombreuses personnes possèdent un oiseau à la maison ; si c'est vous qui avez choisi cet oiseau, cela serait intéressant de vérifier le lexique. Ceci pourrait avoir un rapport avec votre vie actuelle, ou bien avec votre façon d'être.

- En caresser un : Naissance prochaine.

- En voir un en cage : Vous êtes peut-être un peu renfermé.

- En voir un en liberté : Bonheur en affaires.

- En soigner un : Vous éviterez un accident.

- En manger un : Rentrée d'argent.

- En acheter un : Joie, bonheur.

- Se faire mordre : Attention aux hypocrites.

- En nourrir un : Prospérité.

- En attraper un : Vous trouverez l'âme sœur.

- En entendre chanter : Aujourd'hui est un jour nouveau pour vous.

- En tuer un : Vous avez tort d'écraser vos inférieurs.

- Aigle : Visite inattendue.

- Alouette : Promotion.
- Autruche : Voyage.
- Cacatoès : Tristesse.
- Canard : Courage, la lutte n'est pas finie.
- Canari : Réussite.
- Cigogne : Naissance.
- Colibri : Richesse.
- Colombe : Vous ferez la paix avec vos adversaires.
- Coq : Vous séduirez votre entourage.
- Corbeau : Vous aurez de très gros ennuis.
- Corneille : Réussite.
- Dinde : Réunion, retrouvailles.
- Faucon : Courrier inattendu.
- Flamant rose : Joie et dignité.
- Goéland : Voyage d'affaires.
- Hibou : Mort dans votre entourage.
- Hirondelle : Gaieté, héritage.
- Inséparable : Vie de couple heureuse.
- Merle : Médisance.
- Mouette : Faites attention aux profiteurs.
- Oie : Très gros bénéfice monétaire.

- Outarde : Vous déménagerez.
- Paon : La chance vous sourira.
- Pélican : Un ami vous sauvera de votre folie.
- Perroquet : On parle en mal contre vous.
- Perruche : Vous aurez besoin de compagnie.
- Pic-bois : Violence verbale.
- Pie : Mauvaise nouvelle, mensonge.
- Pigeon : Succès gagné durement.
- Pinson : Différente orientation sexuelle.
- Poule : Misère cachée, honnête sentiment.
- Poussin : Gain et réussite.
- Rouge-gorge : Vie remplie de joie.
- Serin : Nouvelle agréable.
- Tourterelle : Amour pour le reste de vos jours.
- Vautour : La misère vous guette.

OMBRE :
- En voir une : Discrétion, secret.
- Voir la sienne : Danger imminent.
- D'un objet : Perte matérielle.
- Être à l'ombre : Manque de vitalité.

OMOPLATE :
Voir Anatomie.

ONCLE :
- Le voir : Héritage ou succession.
- L'être : Responsabilité à prendre.

ONGLE :
Voir Anatomie.

ONGUENT :
- Certains racontars vous déplairont.

OPALE :
Voir Pierres précieuses.

OPÉRA :
- En entendre : Conflit d'intérêt.
- En chanter : Exprimez-vous à haute voix pour être sûr de vous faire entendre.

OPÉRATION :
- En voir une : Triste nouvelle.
- En subir une : Vous aurez un grand besoin d'aide.

OPTICIEN :
Voir Travail.

OR :
- En voir ou en trouver : L'occasion se présente à celui ou celle qui sait en user.

ORAGE :
- En voir un violent : Désordre psychologique.

ORANGE :
Voir Fruits et légumes, ou couleurs.

ORANG-OUTAN :
Voir Animaux.

ORCHESTRE :
- En voir ou en entendre un jouer : Manifestation à laquelle vous voulez, participer mais vous ne pouvez pas.
- En diriger un ou y jouer : Un jour ou l'autre vous vous conformerez à un certain règlement.

ORCHIDÉE :
Voir Fleurs.

ORDRE :
- En recevoir ou en exécuter un : Difficulté d'adaptation.
- En donner : Vous avez tendance à vous prendre pour quelqu'un d'autre.

ORDURE :
- Vous vous débarrasserez de vos problèmes.

OREILLE :
Voir Anatomie.

OREILLER :
- En voir un ou s'en servir : Détendez-vous, cela vous fera le plus grand bien.

ORGIE :
- En voir une : Mauvaise fréquentation.
- Y participer : Certaines personnes se font de mauvaises idées sur votre compte.

ORGUE :
Voir Musique.

ORGUEIL :
- Être orgueilleux : Crise de nerfs injustifiée.
- Voir quelqu'un d'orgueilleux : Attention, cette personne pourrait vous détruire.

ORIGNAL :
Voir Animaux.

ORPHELIN :
- En voir un : Urgent besoin d'aide.
- En être un : Ne vous découragez pas, quelqu'un viendra à votre secours.

ORTEIL :
Voir Anatomie.

ORTHOGRAPHE :
- Bonne : Difficulté résolue.
- Mauvaise : Difficulté en vue.
- La corriger : Réparation d'erreurs.

OSSEMENTS :
- En voir ou en trouver : Peine ou décès d'un proche.
- En ranger : Famine, faim.
- En donner à un animal : Bienfaisance.

OTAGE :
- En être un : Faute qu'il faut payer.
- En avoir un ou plusieurs : Ami trop possessif.

OTARIE :
Voir Poissons.

OUATE :
- Accident dont vous resterez marqué.

OUBLIER :
- Découverte peu intéressante.

OURAGAN :
- En voir un : Vous risquez de tout perdre prochainement.

OURS :
Voir Animaux.

OURS DE PELUCHE :
- À chaque personne ce qui leur appartient.

OURSIN :
Voir
Animaux.

OUTARDE :
Voir Oiseaux et volailles.

OUTIL :
- En voir ou en avoir : Travail en perspective.
- En utiliser : Signale une relation ou une envie sexuelle.

OUTRE :
Voir Animaux.

OUVERTURE :
- L'attendre : Signe de possessivité et d'originalité.

OUVRIR :
- Une chose : Surprise étonnante.

OVAIRE :
Voir
Anatomie.

OVNI :
- En voir : Ne désespérez pas, on vous remarquera bien un jour.

Voir Alphabet.

PACHA :
- En être un : Amour égoïste.
- En voir un : Amour trompeur.

PACTE :
- En conclure : Entente amicale.

PAGE :
- Tourner la page : Changement d'orientation.
- Page écrite : Vous recevrez ou enverrez une lettre.
- Page vide : Signifie qu'il n'est jamais trop tard.

PAIE, PAIEMENT :
- Recevoir sa paie : Vos factures en retard vous nuiront.
- Payer quelqu'un ou faire un paiement : Rentrée d'argent.
- Paiement en retard : vous serez trompé.

PAILLASSE :
- Clown : Situation ridicule.
- De lit : Réussite en amour.

PAILLASSON :
- On vous abaissera cruellement.

PAILLE :
- En botte ou en sac : Victoire, gain.
- En faire brûler : Votre bravoure vous mènera au succès.
- Se coucher sur la paille : Signe de pauvreté.
- Paille broyée : Désordre, perte.

PAIN :
- En voir ou en manger : Longue vie.
- En couper : Maladie difficile.
- Pain moisi ou sec : Attendez-vous à une défaite.
- Blanc: Joie immense.
- Brun : Bonheur qui ne va pas sans obstacle.
- En faire : Vous êtes financièrement bien placé.
- En distribuer : Sincérité et bonté.
- Beurrer du pain : Argent bien mérité.

PAIX :
- Avantage suivi de désagréments.

PALAIS, PALACE :
- Le voir ou y habiter : Protection ou déception.
- En ruines : Offense grave.

PALAIS :
Voir Anatomie.

PÂLE, PÂLIR :
- Être pâle ou pâlir : Vos erreurs se succèdent.
- Voir quelqu'un de pâle ou pâlir : Vous êtes très influençable.

PALMARÈS :
- Être au palmarès : Gloire et succès.
- Ne pas y être : Déception passagère.

PALMIER :
- En voir : Plaisir et divertissement.

PALPITATION :
- En avoir : Annonce une maladie incurable d'un proche.
- Voir quelqu'un en faire : Vous perdrez un de vos amis.

PAMPLEMOUSSE :
Voir Fruits et légumes.

PANCARTE, PANNEAU :
- Publicitaire : Vous tomberez dans un piège.
- De la route : Respectez les indications données.

PANCRÉAS :
Voir Anatomie.

PANDA :
Voir Animaux

PANIER :
- Plein : Famille nombreuse.
- Vide : Fausse couche.
- De Noël : Festivité à petit budget.
- De fruits : Abondance.
- De fleurs : Attention spéciale.

PANIQUE :
- Prenez la vie comme elle vient.

PANNE :
- Tomber en panne : Manque d'énergie.
- D'électricité : Il est temps de vous ouvrir les yeux.

PANSEMENT :
- Sur la bouche : Surveillez votre langage.
- En appliquer un : Regret, tristesse.
- S'en faire appliquer un : Maintenant on portera attention à vous.

PANTALON :
Voir Vêtements.

PANTHÈRE :
Voir Animaux.

PAON :
Voir Oiseaux et volailles.

PAPE :
- En voir un : Signe de vieillissement.
- En être un : Vie longue et heureuse.

PAPIER :
- En voir : Grande joie.
- Blanc : Perte de mémoire.
- Couleur : Quelqu'un vous trompe.
- En couper, en déchirer ou en brûler : ne fuyez pas vos obligations.
- Écrit : Lettre qui annonce une bonne nouvelle.
- Peint : Secret bien gardé.

PAPILLE :
Voir Anatomie.

PAPILLON :
Voir Insectes et reptiles.

PAQUEBOT :
Voir Transports.

PÂQUES :
- Vous obtiendrez plus par la douceur que par la force.

PAQUET :
- En emballer ou en envoyer un : Restez vous-même.
- En déballer un ou en recevoir un : Vous avouerez quelque chose.
- Vide : Affaire déplaisante.

PARACHUTE :
Voir Sports et loisirs.

PARADE :
- En voir une : Votre indiscipline vous causera du tort.
- Y participer : Cessez vos enfantillages.

PARADIS :
- Le voir ou y être : Sincérité, honnêteté, dévouement.
- Ne pouvoir y pénétrer ou en être chassé : Votre père ou votre mère risque la mort.
- S'y faire conduire : Votre vie s'achève.

PARALYSIE :
- Être paralysé : Obstacle à surmonter.
- Voir quelqu'un être paralysé : Cette personne vous embarrassera.

PARAPLUIE, PARASOL, PARATONNERRE, PARAVENT :
- En voir ou s'en servir : La fuite n'est pas une solution.
- Fermé : Protégez-vous du danger.
- Ouvert : Ne craignez rien, vous êtes à l'abri.
- S'en servir comme parachute : Vous aurez quelqu'un à protéger.
- En voir un retourné à l'envers : Mauvaise protection.

PARC :
- En voir un : Vous devriez prendre du repos.
- S'y promener : Relation romantique.

PARCHEMIN :
- Découverte tracassante.

PARDON :
- Bon temps pour réclamer vos exigences.

PARENTS :
- Voir ses parents : Faveur non obtenue.
- S'ils sont en colère : Nouvelle désagréable.
- Les voir morts : Excellente nouvelle.
- Être un parent : Votre famille se séparera.
- Se battre avec ses parents : Perte, chagrin.

PARESSE :
- Être paresseux : Problème de santé.
- Voir quelqu'un de paresseux : Vie durement gagnée.

PARFUM :
- En voir ou se parfumer : Grand changement.
- En sentir : Désir de changement.
- Mauvaise odeur : Mauvaise réputation.
- Bonne odeur : Bonne réputation.

PARI :
- En faire un : Attention où vous mettez les pieds.
- Le gagner : Vous êtes sûr de vous.
- Le perdre : Manque de confiance.

PARJURE :
- En faire : Faute grave dont vous êtes le seul responsable.
- En voir faire : Désagrément causé par la faute d'autrui.

PARRAIN :
- En voir un : Vous obtiendrez l'aide que vous demanderez.
- En être un : Ne vous engagez pas dans quelque chose que vous ne connaissez pas.

PARTAGE :
- Soyez généreux et cela vous sera rendu en double.

PAS :
- Sur la neige ou dans le sable : Manifestation.

PASSÉ :
- Vous avez peut-être peur d'affronter la réalité.

PASSEPORT :
- En voir un : Annulation de voyage.
- En avoir un : Projet de déménagement.

PASSOIRE :
- Ennui, querelle.

PATIENT :
- Rapport avec la politique.

PATINS À GLACE OU À ROULETTES :
Voir Sports et loisirs.

PATINAGE DE VITESSE OU ARTISTIQUE :
Voir Sports et loisirs.

PÂTISSIER :
Voir Travail.

PATRON :
- En voir un : Il faut suivre votre instinct naturel.
- En être un : Concurrence pour un projet.

PAUPIÈRE :
Voir Anatomie.

PAUVRE :
- L'être : Vous vivrez des moments inattendus.
- En être un : Concurrence pour un projet.

PAYER :
- Payer quelqu'un : Période de gros succès.
- Être payé : Perte de biens matériels.

PAYS :
- Retrouver son pays natal : Exploitez vos désirs.
- Faire le tour du monde ou du pays : Certaines choses vous échappent.
- Avoir le mal du pays : Votre bonheur sera de courte durée.
- Changer de pays : Graves soucis familiaux.
- Être dans un pays étranger : désagrément, regret.
- Voir ou être dans un pays inconnu : Perte financière.

PAYSAGISTE :
Voir Travail.

PÉAGE :
- Bureau de péage : Les malheurs vous courent après.
- Poste de péage : Continuez

d'espérer le bon temps arrive.

PEAU :
Voir Anatomie.

PÊCHE :
Voir Fruits et légumes, ou Sports et loisirs.

PÉCHÉ :
- En commettre : Une femme cherche à vous faire honte.
- Voir quelqu'un en commettre : Il faut se soumettre à ce que la vie nous prépare.

PÊCHEUR :
Voir Travail.

PECTORAUX :
Voir Anatomie.

PÉDALO :
Voir Transports.

PÉDIATRE :
Voir Travail.

PEIGNE :
- En voir un : Il faut régler les choses avec douceur.
- En voir un sale : Querelle, rupture.
- Se peigner ou peigner quelqu'un : Vos émotions prendront un coup dur.
- Voir quelqu'un se peigner : Vous serez libéré de vos problèmes.

PEINDRE :
- Un tableau : Vous cherchez peut-être à dissimuler un amour.
- En noir et blanc : Vous êtes

troublé par des tristes pensées.
- En couleur : Joie et bonheur.

PEINE :
Voir Tristesse.

PEINTRE :
Voir Travail.

PEINTURE :
- En voir ou s'en servir : Tout ce que vous ferez aura une fin heureuse.
- Voir quelqu'un peinturer : Chance dans les affaires.

PÈLERIN :
- En voir un : Vous serez forcé de voyager contre votre gré.
- En être un : il ne faut pas rester isolé.

PÉLICAN :
Voir Oiseaux et volailles.

PELLE :
- En voir ou s'en servir : Vous ferez un travail très dur et serez très bien récompensé.

PELLICULE DE FILM :
- En voir ou en avoir : Beaucoup de misère pour les temps à venir.

PENDAISON :
- Pendre quelqu'un ou voir un pendu : Malchance et souci.
- Se pendre : La vie vous réserve beaucoup de bonnes surprises.
- Être pendu : Il faut vous débarrasser de vos mauvaises pensées.

PENDULE :
- Longue vie aux âmes de bonne volonté.

PÉNIS :
Voir Anatomie.

PÉNITENCE :
- En donner une : Vous serez puni pour ce que vous avez fait.
- S'en faire donner une : Un étranger vous fera subir une grosse humiliation.

PENSÉE :
Voir Fleurs.

PENSION :
- En verser une : Vie paisible et ennuyeuse.
- En recevoir une : Les problèmes finiront avec le temps.

PERCE-OREILLE :
Voir Insectes et reptiles.

PERCHAUDE :
Voir Poissons.

PERDRE :
- Quelque chose : Vous ferez une découverte.
- Quelqu'un : on vous fera une offre exceptionnelle.

PÈRE NOËL :
- En voir un : Tous vos souhaits se réaliseront.
- En être un : Vous aiderez quel-qu'un à réaliser ses désirs.

PÉRIL :
- Le succès est à portée de votre main.

PERLE :
Voir Pierres précieuses.

PERQUISITION :
- En faire une : Quelqu'un vous en veut.
- En être victime : Dispute violente.

PERROQUET, PERRUCHE :
Voir Oiseaux et volailles.

PERRUQUE :
- En voir une : Une femme vous veut du mal.
- En porter une : Perte de cheveux.

PESER :
- Se peser : Bons bénéfices.
- Peser quelque chose : Plus c'est lourd, plus la chance sera bonne.

PESTE :
- Vous subirez la vengeance d'un adversaire redoutable.

PÉTANQUE :
Voir Sports et loisirs.

PÉTARD :
- En voir ou en lancer : Vous ferez une belle remontée budgétaire.

PETIT :
- L'être : Complexe injustifié.
- Petit-fils : Vous êtes une personne aimable et charitable.

PÉTROLE :
- En voir : Vous serez aidé par une personne indésirable.
- En trouver : Gain ou héritage.

PÉTUNIA :
Voir Fleurs.

PEUR :
- Avoir peur : Réfléchissez deux fois avant de prendre une grande décision.
- Faire peur à quelqu'un : Attention aux situations louches.

PHALANGE :
Voir Anatomie.

PHARES :
- En voir un allumé : Vous aurez bientôt une bonne situation financière.
- En voir un éteint : Signe d'un grave accident ou même de mort.

PHARMACIE :
- En voir une ou y entrer : Indique une petite maladie qui passera très vite.
- Y acheter des médicaments : Problèmes d'argent.

PHARMACIEN:
Voir Travail.

PHARYNX :
Voir Anatomie.

PHOQUE :
Voir Poissons.

PHOTO :
- Se faire prendre en photo : Ap-

prenez à vous découvrir.
- En prendre : Nouvelle fréquentation.
- En regarder : Vous recherchez peut-être un souvenir oublié.

PHOTOGRAPHE :
Voir Travail.

PIANISTE :
Voir Travail.

PIANO :
Voir Musique.

PIC-BOIS :
Voir Oiseaux et volailles.

PICHET :
- Ne gardez rien à l'intérieur de vous, il faut dire ce que vous pensez.

PIE :
Voir Oiseaux et volailles.

PIED :
Voir Anatomie.

PIÈGE :
- En voir un : Restez loin de ce piège et vous resterez en sécurité.
- Être pris au piège : Tricherie en amour.
- En tendre un : Vous vous ferez prendre à votre propre piège.

PIERRES, CAILLOUX :
- En voir : Malheur et déshonneur.
- En lancer : Vous fâcherez quelqu'un à cause de votre incompréhension.
- Pierre tombale : Changement de vie et de situation.

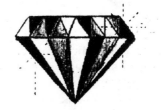

PIERRES PRÉCIEUSES :

Souvent, de tels rêves peuvent tout simplement représenter votre image ou votre conscience, l'hésitation, le désir, la confiance, la rancune, l'envie, etc. Votre rêve met peut-être l'accent sur vos qualités les plus précieuses. Les pierres sont généralement de bons présages surtout quand elles sont brillantes et claires.

- En voir : Usez de votre franchise.

- En acheter : L'amour ne s'achète pas.

- En vendre : Gain, fortune.

- En perdre : Perte, faillite.

- En trouver : Vous trouverez l'amour.

- En voler : Persévérez et vous réussirez.

- En avoir : Peine, tristesse.

- En vouloir : Il vaut mieux être pauvre et honnête.

- En voir cassées : Perte d'emploi.

- Corail : Vous ferez un voyage sans danger.
- Cristal de roche : Cela vous remettra sur pied et vous serez perspicace.
- Diamant : Réussite en tout.
- Émeraude : Facilité d'entreprendre un projet, développement du cerveau.
- Grenat :Vous reprendrez confiance en vous.
- Opale : Pierre de malchance, tristesse assurée.
- Perle : Un esprit vous guette.
- Rubis : Décision hâtive, plus la pierre est éblouissante mieux c'est.
- Saphir : Vos désirs se réaliseront.
- Topaze : Vous surmonterez des moments très difficiles.
- Turquoise : Jugez d'après ce qui est juste, décision confirmé.

PIEUVRE :
Voir Poissons

PIGEON :
Voir Oiseaux et volailles.

PILOTE :
Voir Travail.

PILULE :
- En voir ou en prendre : Une erreur pourrait vous coûter cher.

PINCES :
- En voir ou en utiliser : Vous fréquentez de mauvaises personnes.

PINCEAU :
- En voir un : Vous valez mieux que vos amis.

- S'en servir : Évitez les mauvais conseils, même s'ils viennent de bons amis.
- En laver un : Signifie un très gros désir sexuel.

PIMENT :
Voir Fruits et légumes.

PIPE :
- En voir une : Misère et pauvreté.
- En fumer une : Détérioration à cause d'une mauvaise habitude.

PINGOUIN:
Voir Poissons.

PING-PONG :
Voir Sports et loisirs.

PINSON :
Voir Oiseaux et volailles.

PIQUE-NIQUE :
- Réunion amicale.

PIQÛRE :
- En donner une : Gourmandise et avidité.

PIRANHA :
Voir Poissons.

PIRATE :
- En voir ou en être un : Ne profitez pas des autres et on ne profitera pas de vous.

PIROUETTE :
- En faire : N'essayez pas de vous cacher, on vous trouvera.
- Voir quelqu'un en faire : Vous découvrirez certaines choses.

PISCINE :
- En voir ou en avoir une : Malchance.
- S'y baigner : Soulagement d'un souci.

PISSENLIT :
Voir Fleurs.

PISTOLET :
Voir Arme.

PITIÉ :
- Être pris en pitié : Vous prendrez une mauvaise décision.
- Prendre quelqu'un en pitié : Vous tirerez profit d'une bonne affaire.

PLACARD :
- En voir un : Ne dissimulez pas vos problèmes, ils s'accumulent.

PLAFOND :
- En voir un : Il faut apprendre à mettre une limite.

PLAGE :
- En voir une : Vous prendrez un chemin différent.
- S'y baigner : Faute et maladresse.

PLAIDER :
- Faites preuve de sagesse.

PLAINTE :
- En faire une : Travail et efforts inutiles.
- En recevoir une : Vous ferez la rencontre d'un homme de bonne volonté.

PLAISANTER :
- La joie et l'humour rendent

tellement la vie meilleure.

PLANCHE :
- En voir : Union entre amis.
- En couper : Un petit détail vous dérange.
- Travailler avec : Bon projet pour l'avenir.

PLANCHE À VOILE :
Voir Sports et loisirs.

PLANCHER :
- En voir un : N'essayez pas de changer le destin.

PLANÈTE :
- Il faut revenir sur terre, vous avez trop d'imagination.

- Jupiter : Travail.
- Mars : Changement.
- Mercure : Succès.
- Neptune : Voyage.
- Pluton : Retard.
- Saturne : Plaisir.
- Terre : Sagesse.
- Uranus : Sexualité.
- Vénus : Extravagance.

PLANEUR :
Voir Transports.

PLANTE :
- En voir ou en avoir : Signe de bonne santé.
- En manger : Attention à votre forme physique.

PLAT :
- En voir ou en avoir : Vous aurez une aide à la maison ou au travail qui vous sera très utile.

- En servir ou en desservir : Nouveau travail.

PLÂTRE :
- N'essayez pas de faire du neuf avec du vieux.

PLÂTRIER :
Voir Travail.

PLEURER :
- Pleurer : Vous vivrez dans la joie et le bonheur.
- Pleurer de joie : Vous aurez une mauvaise nouvelle qui vous attristera.
- Voir quelqu'un pleurer : Malédiction.

PLOMBIER :
Voir Travail.

PLONGEUR :
Voir Travail.

PLUIE :
- En voir tomber : «Après la pluie, le beau temps», comme le dit si bien le proverbe.
- Être sous la pluie : Vous ne croyez pas assez en vous.

PLUME :
- En voir des noires : Chagrin et tristesse.
- En voir des blanches : Paix et sagesse.
- En avoir : Profitez de votre liberté.

POCHE :
- D'un vêtement quelconque : Vous négligez certaines choses que vous ne devriez pas.

- Pleine d'argent : Vous reverrez une personne que vous pensiez disparue de votre vie.
- Vide : Mauvaises surprises.
- Déchirée : Perte de biens personnels.

POÊLE :
- À frire : Vous aurez la visite d'une personne importante.
- Se réchauffer au poêle : Découverte de l'âme sœur.
- S'y brûler : Rupture amoureuse.

POÈME :
- En écrire : Vous serez blessé par une déclaration.
- En lire : Vous n'aurez pas ce que vous attendiez.
- En réciter : Vous dévoilerez un secret que vous aviez depuis longtemps.

POIDS :
- En prendre : Gain d'une bonne valeur.
- En perdre : Faites vérifier votre santé.

POIGNARD :
Voir Couteau.

POIGNET :
Voir Anatomie.

POIL :
Voir Anatomie.

POING :
- En recevoir un coup : Vous êtes envahi par la peur et la honte.
- En donner un coup : On ne peut pas toujours être le meilleur.

- Points cardinaux :
- Nord : Isolement, solitude.
- Sud : Repos bien mérité.
- Est : Nouvelle intéressante.
- Ouest : Travail acharné.

POINTS DE SUTURE :
- Peut-être cherchez-vous à rassembler certaines personnes.

POIRE :
Voir Fruits et légumes.

POIS :
Voir Fruits et légumes.

POISON :
- En prendre : Quelqu'un trouble votre existence.
- En donner à quelqu'un : Faites très attention à ce que vous faites.

POISSONS, MAMMIFÈRES MARINS ET CRUSTACÉS

Ces rêves sont généralement mauvais, car ils invoquent le plus souvent la tristesse, le déshonneur, la tromperie, etc. Ces espèces sont, en général, le reflet de problèmes personnels qu'il faut affronter un jour ou l'autre. Vous tentez sans doute d'échapper à vos obligations et à la réalité. Peut-être devriez-vous vous pencher là-dessus au lieu d'aggraver votre sort. Mais certaines espèces sont toutefois moins désagréables, par exemple : le pingouin, la morue, le thon, le saumon et la truite. Ceux-ci sont plutôts signes de réussite et de profit. Analysez avec soin votre

rêve et sa valeur symbolique.

- En voir un : Ne vous réjouissez pas trop vite.

- En tuer un : Réponse négative.

- En attraper un : Grosse réussite.

- En voir un mort : Début d'un chagrin.

- Se faire mordre ou manger : Séparation, rupture.

- En manger un : Succès amoureux.

- En nourrir un : Réussite durement gagnée.

- Aiglefin : Espoir trompeur.
- Anchois : Succès momentané et

179

trompeur.

- Anguille : Prenez donc un moment de repos.
- Baleine : Gros projet à surmonter.
- Barbotte : Arrêtez de tourner autour du pot.
- Brochet : Vie mouvementée.
- Cachalot : Gros investissement.
- Carpe : Vous aurez un complexe.
- Crabe : Ne vous laissez pas insulter, ripostez.
- Crapet : Attention à la persécution.
- Dauphin : Trop compréhensif et généreux.
- Écrevisse : Retard dans les affaires.
- Épaulard : On vous veut du mal.
- Homard : Dispute, obligation.
- Langouste : On vous retardera.
- Maquereau : On se sert de vous.
- Morse : Attention aux gens malhonnêtes.
- Morue : Gain énorme.
- Otarie : Un escroc parmi vos amis.
- Perchaude : Malchance, gain perdu.
- Phoque : Vous rencontrerez une personne troublante.
- Pieuvre : Chagrin inoubliable, destruction.
- Pingouin : Qu'importe votre petit budget, vous réussirez.
- Piranha : Vous allez gâcher votre vie.
- Poisson chat : Grand désordre.
- Poisson marteau : Risque de maladie mentale.

- Poisson scie : Coupez un peu les dépenses inutiles.
- Poisson rouge : Le moindre profit, comme le plus petit poisson, est toujours bon à prendre.
- Requin : Gain difficile à réclamer.
- Saumon : Graduation ou augmentation.
- Têtard : Argent mérité.
- Thon : Triomphe.
- Truite : Mariage, union.

POISSON D'AVRIL :
- En subir un : Vous faites preuve d'une grande intelligence.
- En faire un : L'avenir vous appartient.

POITRINE :
Voir Anatomie.

POIVRE :
- En voir ou en manger : Un léger malaise vous empêchera d'obtenir ce que vous désirez.

PÔLE NORD :
- Le voir ou s'y trouver : Vous avez du mal à effectuer un de vos désirs.

POLI :
- L'être : Apprenez à jouir de la vie.
- Voir quelqu'un l'être : Vous serez appelé à faire un projet exceptionnel.

POLICIER :
Voir Travail.

POLIR :
- Une chose : Souci de perfection.

POLITICIEN :
Voir Travail.

POLO :
Voir Pports et loisirs.

POMME :
Voir Fruits et légumes.

POMME D'ADAM :
Voir Anatomie.

POMME DE TERRE :
Voir Fruits et légumes.

POMMIER :
- En voir ou y cueillir des pommes : Vous prendrez un arrangement favorable pour vous.

POMPIER :
Voir Travail.

POMPISTE :
Voir Travail.

PONCHO :
Voir Vêtements.

PONT :
- En voir un : Vous ferez face à une grave situation et vous la surmonterez.
- En traverser un : Dangereuse mésaventure.
- Tomber d'un pont : Dur obstacle à franchir.
- Pont-levis : Succès en affaires à condition d'obtenir la bonne volonté d'un associé.

PORC :
Voir Animaux.

PORCELAINE :
- En voir ou en avoir : Vous aurez bientôt une belle demeure.
- En casser : Vous avez tout pour être bien, appréciez-le.

PORC-ÉPIC :
Voir Animaux.

PORT :
- En voir un : Vous aurez une vieillesse paisible.
- Y entrer ou en sortir : Continuez d'espérer et vous aurez ce que vous voulez.
- Port de mer : Lettre ou télégramme provenant de loin.

PORTE :
- En voir une ouverte : C'est peut-être la signification d'un nouveau départ.
- En voir une fermée : Difficulté à franchir un obstacle.

PORTE-JARRETELLE :
Voir Vêtements.

PORTEUR :
Voir Travail.

PORTIER :
Voir Travail.

PORTRAIT :
Voir Photo.

POSTE :
- De douane : Liaison secrète qui sera dévoilée.
- D'essence : Un grand événement méritera d'être fêté.

POT :
- En voir ou en avoir un : Mariage d'une amie.
- En casser un : Chicane de ménage.
- Pot de fleurs : Gaieté dans votre maison.

POTEAU :
- En voir un : Laissez tomber votre orgueil et prenez des initiatives.
- Y grimper : Blessure mineure.

POTERIE :
- En voir ou en faire : Vous donnerez ou recevrez un petit présent.

POUBELLE :
- Débarrassez-vous de vos inquiétudes.

POUCE :
Voir Anatomie.

POUDRE :
- En voir ou s'en servir : Lettre de mise en garde.

POULE :
Voir Oiseaux et volailles.

POULS :
- Faire prendre son pouls : Problème cardiaque.
- Prendre le pouls de quelqu'un : Solidarité, loyauté.

POUMON :
Voir Anatomie.

POUPÉE :
- En voir ou en avoir une : Soyez plus mature.

- Cassée ou laide : Risque d'accident.

POURBOIRE :
- En donner un : Idée à suivre.
- En recevoir un : Vos conseils sont précieux.

POURRITURE :
- Détérioration de l'aisance.

POURSUIVRE :
- Poursuivre quelqu'un : Erreur irréparable.
- Être poursuivi : Il vous faudra pardonner.

POUSSER :
- Pousser quelqu'un : Une personne vous aidera dans votre travail.
- Se faire pousser : Votre influence est destructrice.

POUSSIÈRE :
- En voir : Voyage déplaisant et gênant.

POUSSIN :
Voir Oiseaux et volailles.

POUX :
- En voir ou en avoir : Chance et succès.
- En voir sur quelqu'un : Rentrée d'argent.

PRAIRIE :
- En voir une : Respect et bien-être.

PRÉCIPICE :
- En voir un : Regret d'avoir blessé un ami.

182

- Y tomber : Malheur et désagrément.

PRÉDICTION :
- En faire : Tourment pour un rien.
- En entendre : Méfiez-vous des mauvaises langues.

PRÉLAT :
- Aide-toi et le ciel t'aidera.

PRÉPOSÉ :
Voir Travail.

PRÉSIDENT :
Voir Travail.

PRESSER :
- Réalisation de vos fantasmes.

PRET :
- Prêter une chose : Besoin de soutien moral.
- Se faire prêter une chose : Avec de la patience vous réussirez.

PRÊTRE :
Voir Travail.

PRIÈRE :
- Prier : Aide venant d'une personne hautement estimée.
- Voir quelqu'un prier : Cette personne a besoin d'aide.
- En entendre : Vous aurez des remords.

PRINCE, PRINCESSE :
- En voir une : Chance provisoire.
- En être une : Popularité trompeuse.

PRISON, PRISONNIER :
- Voir une prison : Certaines choses sont bien protégées.
- Être prisonnier : Sortez et prenez congé de tout.
- Voir un prisonnier : Vous aurez besoin de chance pour vous en sortir.
- S'évader d'une prison : Divorce qui vous est très favorable.

PRIX :
- Élevé : Allez-y selon vos moyens.
- Bas : Vous serez mal jugé.
- Le payer : Avenir heureux.

PROCÈS :
- En subir un : Vous vous sortirez d'une situation difficile.
- En faire subir un : Beaucoup d'efforts porteront leurs fruits.
- Y assister : Chagrin et regret.
- Le gagner : Mauvaise illusion.
- Le perdre : Fin d'un conflit.

PROFESSEUR :
Voir Travail.

PROFESSION :
Voir Travail.

PROFIT :
- Faillite, perte.

PROJECTEUR :
- Allumé : Rencontre, confidence.
- Éteint : Vous serez très déçu.

PROJECTILE :
- Certaines personnes veillent sur vous.

PROMENADE :
- En faire une, seul : Tracas, solitude.

- En faire une, accompagné : Réunion agréable.

PROMESSE :
- En faire une : On peut avoir confiance en vous.
- Se faire promettre quelque chose : Respectez vos engagements.
- Tenir sa promesse : Fidélité, honnêteté.
- Ne pas la respecter : Mauvaise conscience.

PROMOTION :
- Travail fatigant qui n'en vaut pas la peine.

PROPHÈTE :
- En voir ou en entendre un : Problème financier.
- En être un : Bonne conscience.

PROPRETÉ :
- Ne devriez-vous pas vous laver de certaines rumeurs.

PROPRIÉTAIRE :
- Voir son propriétaire : Problème de ménage.
- En être un : Un jour vous aurez une belle et grosse maison.

PROSTERNATION :
- Se prosterner : Trahison en affaires.
- Voir quelqu'un se prosterner : Vous ferez un bon choix.

PROSTITUTION :
- En faire : Attention aux infidélités.
- Voir quelqu'un en faire : Maladie, accident.

PROTESTATION :
- Protester : Entêtement à corriger.
- Voir quelqu'un protester : Vous devriez changer votre comportement.

PROVERBE :
- Ne passez pas par quatre chemins pour vous exprimer.

PROVOCATION :
- Provoquer quelqu'un : Vous serez provoqué.
- Être provoqué : Amis protecteurs.

PRUNE :
Voir Fruits et légumes.

PSYCHIATRE :
Voir Travail.

PUBLICITÉ :
- En faire : Prenez des vacances, cela vous fera du bien, et aux autres aussi.
- En lire ou en regarder : Secret dévoilé.

PUCE :
Voir Insectes et reptiles.

PUDEUR :
Amitié entre parents et amis.

PUISSANCE :
En avoir : Graduation non méritée.
En manquer : Un peu de tranquillité vous fera du bien.

PUITS :
- En voir ou en tirer de l'eau : Délivrance, ami fidèle.

- Y tomber : Graves ennuis ou danger.
- Rempli d'eau claire : Joie, bonheur.
- Rempli d'eau sale : Contrariété, dispute.
- Vide ou très profond : Vous gardez trop d'émotions à l'intérieur.
- Plein ou débordant : Tristesse, pauvreté.

PUMA :
Voir Animaux.

PUNAISE :
- En voir : Changement de comportement.
- S'y piquer : Attention, représailles.

PUNITION :
- Être puni : Quelqu'un se sert de votre naïveté.
- Punir quelqu'un : Vous prendrez une mauvaise décision.

PUPILLE :
Voir Anatomie.

PUPITRE :
- En voir un : Un homme vous donnera un gros travail.
- S'en servir : Projet peu avantageux.

PURGATOIRE :
- Danger, emprisonnement.

PUTAIN :
Voir Prostituer.

PUTOIS :
Voir Animaux.

PUZZLE :
- En voir un : Contrat ou obligation compliquée.
- En finir un : Résolution de longue durée.
- Être incapable d'en finir un : Vous laissez passer beaucoup de choses.

PYJAMA :
Voir Vêtements.

PYRAMIDE :
- En voir une : Succès enrichissant.
- En escalader une : La richesse est à venir.
- Être à l'intérieur : Fin d'une misère.

PYTHON :
Voir Insectes et reptiles.

Voir Alphabet.

QUAI :
- De port : Soucis, inquiétudes.
- De gare : Important changement de situation.
- Y débarquer : Vous atteindrez vos objectifs.

QUARANTAINE :
- Être mis en quarantaine : Attention à ne pas causer du tort aux autres.

QUARTIER :
- D'animal : Problèmes financiers.
- Changer de quartier (ville) : Vie paisible et agréable.

QUATRE :
Voir Nombres.

QUENOUILLE :
- En voir ou en cueillir : Argent bien mérité.
- Brisée ou brûlée : Querelle, ennuis, pauvreté.

QUERELLE :
- En voir une : Ne vous mêlez pas aux chicanes des autres.
- Se quereller : Vous ferez la paix avec vos ennemis.

QUESTION :
- En poser : Votre curiosité vous jouera des tours.
- S'en faire poser : Mauvaise compréhension.

QUEUE :
- En voir : Sexualité extravagante.
- En avoir une : Retombée d'un acte diabolique.

QUILLE :
Voir Sports et loisirs.

QUINCAILLERIE :
- Vous repartirez à zéro.

QUINCAILLIER :
Voir Travail.

QUITTER :
- Ses vêtements : Vous êtes responsable de vos tracas.
- Son domicile : Besoin de changement.
- Quelqu'un : Lien de longue durée.
- Se faire quitter : Divorce, fin d'une union.

Voir Alphabet.

RACCOMMODER :
- Telle ou telle chose : Méprise de soi-même.

RACINE :
- En voir : Promotion.
- En arracher : Pour un meilleur résultat, il faut aller au fond des choses.

RACONTER :
- Telle ou telle chose : La timidité vous empêchera de finir ce que vous avez commencé.

RADEAU :
Voir Transports.

RADIO :
- L'écouter : Portez attention à ce que l'on vous dit.
- Parler à la radio : Faites passer votre message, on vous écoute avec attention.

RADIOGRAPHIE, RAYON X :
- En voir : Quand on regarde l'intérieur des gens, notre opinion sur eux peut changer.
- En passer : Vous n'avez que ce que vous méritez.

RADIS :
Voir Fruits et légumes.

RAFTING :
Voir Sports et loisirs.

RAGE :
- Voir un animal ou quelqu'un l'avoir :
Vous serez le seul vainqueur.
- L'avoir : Votre vengeance ne changera pas les choses.

RAIL :
- En voir : Vous ferez un gros coup d'argent.
- Rouler dessus : La chance de votre vie va bientôt passer, il faut la saisir à deux mains.

RAISIN :
Voir Fruits et légumes.

RAJEUNISSEMENT :
- Voir quelqu'un rajeunir : Danger de maladie grave.
- Se voir rajeunir : Votre esprit est peut-être plus jeune que vous ne le pensez.

RAME :
- En voir ou s'en servir : Efforts inutiles.
- Voir quelqu'un ramer : Vous viendrez en aide à un étranger.

RAMEAU :
- En voir : Si vous y croyez, vous l'aurez.
- En faire : Signe de grossesse.
- En vendre : Endurance, efficacité.

RANÇON :
- En demander une : On vous fait du chantage.
- Avoir une demande : Vous ne pouvez peut-être pas en faire autant que vous le pensez.

RANCUNE :
- Soucis pénibles.

RANGEMENT :
- En faire : Avec de l'application vous arriverez à votre but.
- Voir quelqu'un en faire : Vous avez peut-être une certaine admiration pour cette personne.

RÂPE :
- En voir une : Ne soyez pas trop dur, vous pourriez le regretter.
- En utiliser une : Vous causerez du chagrin à quelqu'un que vous aimez.

RAPIDITÉ :
- La réussite arrivera aussi vite que vous l'étiez dans votre rêve.

RAPPORT :
- En rédiger un : Vous devriez avoir plus de bon sens dans vos réflexions.
- Voir quelqu'un en rédiger un : Gardez votre sang-froid, quoi qu'il arrive.

RAQUETTE :
Voir Sports et loisirs.

RAQUETTE (tennis) :
- En voir ou en avoir une : Signe de sexualité.
- En utiliser une : Vous n'êtes pas parti du bon pied en affaires.

RASOIR :
- En voir un : Une peine d'amour vous rendra très malheureux.
- Se raser : Vous rembourserez une dette qui date d'il y a déjà long-

temps.
- Se faire raser : Trahison soudaine.
- Voir quelqu'un se raser : C'est le temps de payer pour vos erreurs.
- Raser quelqu'un : Désirs un peu cochons.

RASSEMBLEMENT :
- Vous serez renversé par une grande nouvelle.

RAT :
Voir Animaux.

RATE :
Voir Anatomie.

RÂTEAU :
- En voir un : Certains de vos amis sont hypocrites.
- S'en servir : Vous prêterez de l'argent que vous ne reverrez jamais.

RATON LAVEUR :
Voir Animaux.

RAVAGE :
- En faire : Vous avez parfois un cœur de pierre.
- En être victime : Vous avez trop bon cœur.

RAVIN :
Voir Précipice.

RAYON (de soleil) :
- En voir : Vous ferez une bonne production avec l'aide d'idées brillantes.

REBELLE :
- En voir un : On ne peut pas tou-

jours faire ce qui nous plaît.
- En être un : Réprimande de la part de votre patron.

RÉCEPTIONNISTE :
Voir Travail.

RECETTE :
- En faire une : Étudiez votre projet minutieusement avant de le mettre sur pied.

RECEVEUR :
- En voir un : Les responsabilités ne sont pas toujours amusantes.
- En être un : Vous dérangerez quelqu'un sans le vouloir.

RECEVOIR :
- Quelque chose ou quelqu'un : L'argent ne fait pas le bonheur même que parfois il apporte le malheur.

RECHERCHISTE :
Voir Travail.

RÉCOLTE :
- Bonne : Querelle meurtrière.
- Mauvaise : Profit important.

RÉCOMPENSE :
- En recevoir une : Vos efforts seront fortement récompensés.
- En offrir ou en donner une : Vous paierez les dégâts.

RÉCONCILIATION :
- Se réconcilier : Vie tranquille et honnête.
- Faire une tentative de réconciliation : Désordre de tout genre.

RÉCONFORT :
- Réconforter quelqu'un : Vous avez un grand cœur.
- Être réconforté : Délivrance, bonté.

RÉCRÉATION :
- Reposez-vous un peu.

RECRUE :
- En voir une : Il vous faudra obéir.
- En être une : Travail, travail, travail.

RECTANGLE :
- Tenez-vous en éveil et prenez vos précautions.

RÉFRIGÉRATEUR :
- En voir un : Courtoisie, bonté.
- Vide : Vous avez besoin d'amour.
- Plein : Secret inquiétant.

RÉFUGIÉ :
- En voir un : Danger, conflit.
- En être un : Vous vous sentirez étranger.

RÉGIME :
- En suivre un : Prenez le temps de vous relaxer.

RÉGIMENT :
- En voir un : Lettre amicale.
- En faire partie : Vous êtes largement avantagé.

RÈGLE :
- Souci de perfection.

RÉGLISSE :
- Ne négligez pas les sentiments des autres.

REGRET :
- En avoir : Mélancolie, peine d'amour.

RÉHABILITATION :
- On se mordra les doigts de vous avoir embêté.

REIN :
Voir Anatomie.

RÉINCARNATION :
- Se réincarner : Voici votre personnalité.
- Voir quelqu'un se réincarner : Vous serez récompensé.

REINE :
Voir Roi.

RELIGIEUX, RELIGIEUSE :
- En voir une : Vous serez importuné.
- En être une : Vous êtes un peu renfermé.

RELIGION :
- Changer de religion : Trouble psychique.

REMBOURREUR :
Voir Travail.

REMÈDE :
Voir Médicament.

REMERCIEMENT :
- Remercier quelqu'un : Émotions plaisantes.
- Être remercié : Gratitude, respect.

REMORDS :
- Le mensonge auquel vous aurez recours ne vous servira à rien.

REMORQUEUSE :
Voir Transport.

REMPLIR :
- Quelque chose : Bel avenir.

RENARD :
Voir Animaux.

RENCONTRER :
- Rencontrer quelqu'un : Retrouvailles, pardon.

RENDEZ-VOUS :
- En avoir un : Nouvelle intéressante.
- En manquer un : Vous êtes une personne fiable.
- En donner ou en prendre un : Joyeux en amour.

RENNE :
Voir Animaux.

RENSEIGNEMENT :
- En demander un : Incertitude, contrariété.
- S'en faire demander un : Écoutez vos amis.

RÉPARATION :
- Entente de courte durée.

REPAS :
- Gastronomique : Visite imprévue.
- Le prendre seul : Vous vous faites des ennemis.
- Le prendre en groupe : On admire vos qualités.
- Repas funèbre : Bonne action.

REPASSER :
- Du linge : Vitalité, entrain.

- Voir quelqu'un repasser du linge : Vous avez des amis influençables.

RÉPÉTITION :
- En voir une : Quelqu'un fait des arrangements pour vous.
- En faire une : Rendez-vous ennuyant.

REPOS :
- Se reposer : Grosse activité à venir.
- Voir quelqu'un se reposer : Vous devriez en faire du pareil.

RÉPRIMANDER :
Voir Punition.

REPROCHE :
- En faire : C'est vous qui en recevrez.
- Se faire reprocher quelque chose : Réussite générale.

RÉPUTATION :
- Bonne : Sentiment de fierté.
- Mauvaise : Ne laissez pas les autres vous abaisser.

REQUÊTE :
- En faire une : Un projet qui tombe à l'eau.
- En recevoir une : Chagrin, peine.

REQUIN :
Voir Poissons.

RÉSOLUTION :
- En prendre : Votre méfiance vous causera beaucoup de désagréments.

RESPIRATION :

- Entendre respirer fort : Problèmes cardiaques.
- Avoir de la difficulté à respirer : Maladie chronique.

RESPONSABILITÉ :
- En avoir : Obligation, travail.
Être irresponsable : Un jour vous serez libre.

RESTAURANT :
- En voir un : Vous ne savez pas gérer un budget.
- Ouvert : Vacances amusantes.
- Fermé : Fête annulée.
- Y manger : Vous serez très déçu.

RESTAURATEUR :
Voir Travail.

RESSUSCITÉ :
- L'être : Erreur irréparable.
- Voir quelqu'un l'être : Malaise, vomissement.

RETARD :
- Être en retard : Vous manquerez votre chance.
- Attendre quelqu'un qui est en retard : Lettre qui n'arrivera pas à destination.

RETRAITE :
- La prendre : Votre patron est trop exigeant.
- La remettre à plus tard : Travail plaisant.

RÉUNION :
- Y assister : Rupture causée par votre inconduite.

REVANCHE :
- Vous vous ferez pardonner.

RÉVEIL :
- Rêver que vous vous réveillez : Manque de sommeil.
- Voir quelqu'un se réveiller : Pour improviser, vous êtes le meilleur.

RÉVEILLON :
- Soirée importante.

RÉVÉLATION :
- En faire : Fin d'un projet.
- En entendre : Réponse tant attendue.

REVENANT :
Voir Fantôme.

RÉVOLTE :
- En voir une : Dispute avec un proche.
- Y être impliqué : Bagarre inutile.
- Être ou voir quelqu'un se révolter : Prenez un peu de calme.

REVOLVER :
Voir Arme.

RHINOCÉROS :
Voir Animaux.

RHUBARBE :
Voir Fruits et légumes.

RHUM :
Voir Boisson.

RICHESSE :
- Être riche : Perte et guerre.
- Voir quelqu'un de riche : Jalousie, peine.
- La perdre : Dépense complètement inutile.

RIDEAUX :
- En voir ou en poser : Petits travaux ménagers seraient recommandés.
- Sales ou déchirés : Secret confié à la mauvaise personne.
- Blancs : Paix dans votre maison.

RIDES :
- En avoir : Prenez un peu plus soin de vous.
- Ne plus en avoir : Tristesse énorme.
- Voir quelqu'un en avoir : Longue attente.

RIRE :
- Rire : Vie désastreuse.
- Entendre rire : Mésaventure.

RIVAL :
- Désir de changement.

RIVIÈRE :
- En voir une : Manque d'affection.
- Débordante : Vous mettrez un stop à vos mauvaises intentions.
- Y tomber ou s'y baigner : Misère, pauvreté.
- S'y noyer ou s'y laver : Bonheur conjugal.

ROBE :
Voir Vêtements.

ROBINET :
- En voir un : On sera chaleureux envers vous.
- L'ouvrir : Nerfs à vif.
- Le fermer : Fin d'une liaison.

ROBOT :
- En voir un : Routine ennuyeuse.
- En être un : Vous êtes trop influençable.
- Robot culinaire : Vous avez tous les outils pour réussir.

ROCHE :
Voir Pierre.

ROI, REINE :
- En voir une : Vous aurez bientôt le pouvoir.
- En être une : Vous avez tendance à trop vous surestimer.

ROMAN :
- En voir ou en lire un : Vous êtes trop facile à tromper.
- En acheter un : Vous aimez beaucoup ce que vous faites, c'est le secret de votre succès.

ROSE :
Voir Couleurs.
Voir Fleurs.

ROSÉE :
- Vous êtes une personne de bonne compagnie.

ROTULE :
Voir Anatomie.

ROUE :
- En voir ou en avoir : Maladie d'amour.

- En acheter : Nouveau départ enrichissant.
- De moulin : Continuez de persévérer, vous êtes dans la bonne voie.
Usée ou trouée : Pauvreté, misère.

ROUGE :
Voir Couleurs.

ROUGE À LÈVRES :
- Tentations sexuelles.

ROUGE-GORGE :
Voir Oiseaux et volailles.

ROUGEOLE :
- L'avoir : Signifie la maladie d'un proche.
- Voir quelqu'un l'avoir : Maladie grave dans la famille.

ROUGIR :
- Rougir : Amour que vous cachez, même à l'être aimé.
- Voir quelqu'un rougir : Vous êtes envié pour votre partenaire.

ROUILLE :
- Plus personne ne vous admire.

ROULETTE :
- Y jouer : Mauvaise tentation.
- Voir quelqu'un y jouer : Profitez des bonnes occasions.
- Gagner : Faillite, grosse dette.
- Perdre : Journée favorable.

ROULOTTE :
- En voir une : Projet de vacances.

ROUTE, RUE :
- En voir une ou l'emprunter :

Beaucoup de chance.
- En mauvais état : Perte matérielle.
- Déserte : Vous faites fausse route en affaires.

RUBAN :
- En voir ou s'en servir : Bon choix, acquisition.
- Sale ou coupé : Aventure sexuelle regrettable.
- De soie : Joie profonde.

RUBIS :
Voir Pierres précieuses.

RUCHE :
- En voir une : Travail acharné.
- Vide : Situation incertaine.
- Pleine d'abeilles : Plaisir, amusement.
- La faire tomber : Mauvaise compréhension.

RUELLE :
- Y être ou y entrer : Tracas, tourments.
En sortir : Belle occasion.

RUINES :
- En voir : Peur de tout perdre.
- Être parmi les ruines : Le passé refait surface.

RUISSEAU :
- En voir un : Solitude, chagrin.
- Débordant : Maintenant vous êtes sur la bonne voie.
- Y tomber ou s'y baigner : Rétablissement soudain.
- S'y noyer ou s'y laver : Chaleur au foyer.

RUPTURE :

- En subir une : Prenez soin de vos biens.

RUSE :
- Être rusé : Trop de gêne vous nuira.
- Voir quelqu'un de rusé : Mauvaise influence.

Voir Alphabet.

SABLE :
- En voir ou être dedans : Pénible et peu payant.

SABLIER :
- Vous jouerez le tout pour le tout.

SABRE :
- En voir ou en porter un : Mauvaise conduite, misère.
- S'en servir : Vous aurez besoin de protection.

SAC :
- En voir : Succès, abondance.
- Plein ou lourd : Richesse temporaire.
- Vide ou sale : Vie difficile.
- À main : Joie de courte durée.

SACRIFICE :
- En faire : Respect non mérité.
- Voir quelqu'un en faire : Vengeance malhonnête.

SAGE-FEMME :
- En voir une : Baptême, naissance.
- En être une : Situation embarrassante.

SAIGNER :
- Se voir saigner : Vous vaincrez une bataille.
- Voir quelqu'un saigner : Mort, héritage.

SAINT :
- En voir un : Vous serez délivré d'une souffrance.
- En être un : Orgueil mal fondé.

SAISIE :
- En subir une : Divorce, rupture.
- En faire une : Représailles brutales.

SAISON :
- Printemps : Espoirs trompeurs.
- Été : La prochaine saison apportera beaucoup de changements.
- Automne : Ne soyez pas triste, vieillir est une chose naturelle.
- Hiver : Plan mal organisé.
- Changer de saison : Nouveau départ.

SALADE :
Voir Fruits et légumes.

SALAIRE :
Voir Paie.

SALETÉ :
- Être sale : Personnalité salie.
- Voir quelqu'un de sale : Manque de propreté.
- Arriver dans un endroit sale : Il n'y a que des problèmes en vue.

SALIVE :
- En voir : Escroquerie, tromperie.
- En manquer : Vous serez critiqué.

SALLE :
- En voir une : Rencontre comprenant beaucoup de gens.
- Y être seul : Solitude, ennuis.
- À manger : Il n'est pas toujours bon de faire à sa tête.
- D'audience : Vous serez jugé.
- De séjour : Bon temps de courte durée.
- De jeux : Divertissement, amusement.
- De bain : Vous êtes fidèle et honnête.

SALON :
- De maison : Détente, repos mérité.
- De mode : Vous vous faites du souci pour rien.
- De beauté : Ce qui est beau, c'est ce qu'il y a à l'intérieur.
- De coiffure : Le changement fait toujours du bien.

SALOPETTE :
Voir Vêtements.

SALUTATION :
- Saluer quelqu'un : Profit, gain.
- Se faire saluer : Vous méritez le respect.

SAMEDI :
Voir Jours et mois.

SANDALE :
- Petites économies.

SANG :
Voir Anatomie.

SANGLIER :
Voir Animaux.

SANTÉ :
- Bonne : Maladie incurable.
- Mauvaise : Prompt rétablissement.

SAPHIR :
Voir Pierres précieuses.

SAPIN :
- En voir : Ami loyal.
- De Noël : Bonheur conjugal.
- En décorer un : Grossesse, joie.
- En couper ou en brûler un : Succès en tout.

SATAN :
- Le voir ou en être attaqué : Problème psychologique.
- L'être : Un jour vous paierez pour vos erreurs.

SATIN :
- En voir ou en porter : Vous êtes trop influençable.

SAULE :
- Amis attristés dans le besoin.

SAUMON :
Voir Poissons.

SAUT EN LONGUEUR ET EN HAUTEUR :
Voir Sports et loisirs.

SAUTER :
- Très haut : Gros objectif à atteindre.
- De joie : Bonheur, réussite.

SAUTERELLE :
Voir Insectes et reptiles.

SAUVAGE :
- En voir un : Le sexe vous fait probablement peur.
- En être un : Sexualité exagérée.

SAUVETAGE :
- Sauver quelqu'un : Ne perdez pas votre temps.
- Être sauvé : Pensez deux fois avant d'agir.

SAVANT :
- Bonne initiative, honneur.

SAVON :
- En voir : Santé, bien-être.
- S'en servir : Réputation en péril.

SAXOPHONE :
Voir Musique.

SCALP :
- Être scalpé : Souvenirs honteux.
- Scalper quelqu'un : Victoire imminente.

SCANDALE :
- La suite d'une mauvaise affaire est pire que le début.

SCARABÉE :
Voir Insectes et reptiles.

SCEAU :
- En voir un : Force intellectuelle.
- Plein : Abondance, pouvoir.
- Vide : Perte de vos biens.

SCÈNE :
- En voir une : Changement d'orientation.
- Être sur scène : Restez naturel.

SCIE :
- En voir une : Abandon profitable.
- S'en servir : Travail ennuyeux et pénible.

SCORPION :
Voir Insectes et reptiles.

SCROTUM :
Voir Anatomie.

SCULPTEUR :
Voir Travail.

SCULPTURE :
- Sculpter : Souci, aventure amoureuse.
- Voir quelqu'un sculpter : Soyez plus créateur.
- Voir une sculpture : But atteint.

SÉCHERESSE :
- Prenez conscience de la bonté que l'on vous accorde.

SECRET :
- Soyez plus discret.

SECRÉTAIRE :
Voir Travail.

SÉDUCTION :
- Séduire quelqu'un : Un désir est contenté.
- Être séduit : Nouvelle attristante.
- Voir quelqu'un en faire : Votre adversaire l'emportera.

SEA-DOO :
Voir Transports.

SEIGNEUR :
- En voir un : Triomphe, succès.

- En être un : Dépression, angoisse.

SEINS :
Voir Anatomie.

SEL :
- En voir ou en manger : Habitude changeante.
- En utiliser ou en répandre : Malaise, mécontentement.

SELLE :
- De cheval : Surprise inattendue, cadeau.

SEMENCE :
- En voir : Désirs difficiles d'accès.
- En semer : Persévérez et vous réussirez.

SENSATION FORTE :
- Vous manquez de productivité.

SENTIER :
- En voir un : Amour bien caché.
- Petit et étroit : Mince ouverture dans votre domaine.

SÉPARATION :
- En subir une : Vous avez connu la souffrance.

SEPT :
Voir Nombres.

SEPTEMBRE :
Voir Jours et mois.

SERIN :
Voir Oiseaux et volailles.

SERINGUE :
- Votre maladie ou votre blessure s'en va.

SERMON :
- En entendre un : Vous faites un excellent choix.
- En faire un : Vos proches vous supporteront.

SERPENT :
Voir Insectes et reptiles.

SERRURE :
- En voir une : Bonne protection.
- L'ouvrir : Nouvelle intéressante.
- La fermer : Prenez garde aux escrocs.
- La casser : Projet qui tombe à l'eau.

SERRURIER :
Voir Travail.

SERVEUR :
Voir Travail.

SERVICE :
- En rendre ou en demander un : Un service en attire un autre.
- S'en faire rendre ou s'en faire demander un : Quelqu'un vous demande.
- De table : Jouissance personnelle.

SERVIETTE :
- En voir ou en utiliser une : Soyez ferme, mais loyal.
- Propre : Bavardage agréable.
- Sale : Dispute dans votre famille.

SERVITEUR :
- En voir ou en avoir un : Possessivité détestable.
- En être un : Ne vous laissez pas abuser.

SEXE :
- Voir le sexe d'autrui ou lui toucher : Manque de savoir-vivre.
- Changer de sexe : Mauvaise illusion.
- En vouloir : Envies refoulées.

SEXOLOGUE :
Voir Travail.

SIÈGE :
- Des vacances vous feraient le plus grand bien.

SIFFLET, SIFFLEMENT :
- Voir ou utiliser un sifflet : Vous serez craintif.
- Entendre des sifflements : Attention aux faux amis.

SIGNATURE :
- Signer un papier quelconque : Contrat amical.
- Faire signer un papier quelconque : Peur, crainte.
- Imiter une signature : Vous serez victime d'escroquerie.

SIGNE :
- En faire : Mauvaise conscience.
- Voir quelqu'un en faire : Avertissement de danger.

SILENCE :
- Garder le silence : Souvenir inoubliable.
- Endroit silencieux : Calme, repos.

SINGE :
Voir Animaux.

SINUS :
Voir Anatomie.

SIRÈNE (poisson) :
- Être un homme et en voir une : Déception amoureuse.
- Être une femme et en voir une : Vous êtes une personne renfermée.

SIROP :
- En voir ou en administrer : Folle attitude.
- En prendre : Infection, virus.

SIX :
Voir Nombres.

SKI ALPIN OU DE FOND :
Voir Sports et loisirs.

SKI NAUTIQUE :
Voir Sports et loisirs.

SOCCER :
Voir Sports et loisirs.

SODOMIE :
- Peu de tranquillité.

SŒUR :
- Voir sa sœur : Douceur, tranquillité.

SOFTBALL :
Voir Sports et loisirs.

SOIE :
- En voir ou en porter : Bien-être, bonne fréquentation .

SOIF :
- Avoir soif : Besoin d'apprendre.
- Voir quelqu'un avoir soif : Tempérament égoïste.

SOIGNER :
- Se faire soigner : Fin d'une rumeur.
- Soigner quelqu'un : Reconnaissance, honneur.

SOIR :
- Amour ou projet qui achève.

SOIRÉE :
- Agréable : Grand succès pour votre prochain projet.
- Ennuyeuse : Vie difficile.
- Être invité à une soirée : Vous attendez une invitation.

SOLDAT :
- En voir un : Vous allez acquérir de la discipline.
- En être un : Manque de discipline.

SOLDE :
- Vous avez de la chance, profitez-en.

SOLEIL :
- Le voir : Belle et bonne journée.
- Voir le lever du soleil : Espérance, ordre.

- Voir le coucher du soleil : Jeunesse terminée.
- En voir plusieurs : Ennuis divers.
- En voir un rouge : Bataille, catastrophe.
- En voir un caché par les nuages : Soucis et tracas.
- Le voir tomber ou se déplacer anormalement : Conflit d'intérêts.
- En être aveuglé ou brûlé : Vous avez beaucoup d'amour à offrir.

SOMMEIL :
- Avoir sommeil : Relaxez-vous donc un peu.

SOMMET :
- L'atteindre ou s'y trouver : Plan mal organisé.

SOMNAMBULE :
- En voir un : Ne jugez pas trop vite.
- L'être : Tendance incontrôlable.

SOMNIFÈRE :
- En voir ou en prendre : Obligation désolante.
- En administrer ou voir quelqu'un en prendre : Vous êtes entouré d'incompétents.

SONNETTE :
- En voir une ou l'utiliser : Joie passagère.
- En entendre une : Acte de bienfaisance.

SORCIÈRE :
- En voir une : Amour trahi.
- En être une : Brise-cœur.
- En voir une sur un balai : Influence maléfique.

SOUDEUR :
Voir Travail.

SOUFFRANCE :
- Souffrir : Souvenir douloureux qu'il faut oublier.
- Faire ou voir quelqu'un souffrir : Perte de sentiments.

SOULIER :
Voir Chaussure.

SOUPER :
- Souper : Nouvelle concernant votre santé.
- Être invité pour souper : Surveillez votre alimentation.

SOUPIR :
- Soupirer : Vie pénible.
- Voir ou entendre quelqu'un soupirer : On s'ennuie en votre compagnie.

SOURCILS :
Voir Anatomie.

SOURD :
- L'être : Signe de controverse.
- En voir un : Profit suivi de perte.

SOURIRE :
- Résultat très apprécié.

SOURIS :
Voir Animaux.

SOUS-MARIN :
Voir Transports.

SOUS-SOL :
- Votre état de santé nécessite quelques soins.

SOUS-VÊTEMENTS :
Voir Vêtements.

SOUTERRAIN :
- En voir un ou y entrer : Hésitation, mauvais choix.
- En sortir : Grâce à votre courage, vous vaincrez.

SOUTIEN-GORGE :
Voir Vêtements.

SPARADRAP :
- En voir : Contrariété, mécontentement.
- En utiliser : Souvenir désagréable.

SPATULE :
- En voir ou en utiliser une : Attention, vous pourriez vous blesser.

SPECTACLE :
- En voir un : Quelqu'un essaie de vous tromper.
- En donner un : Bonne manigance.

SPORTS ET LOISIRS :

Attention, la plus grande prudence s'impose dans ce domaine, parce qu'il y a sans doute allusion à votre attitude à l'égard de quelqu'un. On vous met en garde contre les agissements de cette personne à votre endroit. Dans votre rêve, le sport ou le loisir était-il ennuyeux, intéressant ou même dangereux ? Cela signifierait peut-être que vous êtes un peu renfermé, mais il peut aussi s'agir de votre liberté de pensée et d'action dont vous ne jouissez pas aisément. À vous de trouver de nouvelles occupations et de nouvelles relations. Cela pourrait bien rendre votre vie plus intéressante ou, par le fait même, plus passionnante et divertissante.

- Sport d'équipe : Solitude, ennui.

- Pratiquer un sport intéressant : Sortez, cela vous fera le plus grand bien.

- Jouer et gagner : Petite perte.

- Jouer et perdre : Gain et profit.

- Voir quelqu'un exercer un sport ou un loisir : Votre gêne vous nuira.

- Vouloir faire partie d'une équipe: Vous ne pouvez pas tout avoir.

- Faire partie d'une équipe reconnue : Ne vous fiez pas trop aux autres.

- Sport d'eau : Bien-être et liberté.

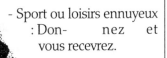

- Sport ou loisirs ennuyeux : Don-   nez   et vous recevrez.

- Sport ou loisirs dangereux : Faites la fête, amusez-vous.

- Alpiniste : Travail difficile.

- Arts mar-

tiaux : Vous avez peur de vos adversaires.
- Baignade : Travail récompensé.
- Baseball : Signifie un point tournant dans votre vie.
- Basket-ball : Changement radical.
- Bicyclette : Annonce la maturité.
- Billard : La chance ne vous sourira pas éternellement.
- Boxe : Guerre en perspective.
- Canoë : Période d'agitation, désir dangereux.
- Canot : Un événement secouera votre vie.
- Chasse : Fatigue intérieure.
- Course à pied : Votre obstination vous nuira.
- Cricket : Vie riche et noble.
- Danse : Héritage ou joie immense.
- Échec : Une querelle vous tracassera.
- Équitation : Fierté, honneur et joie.
- Fers : Travail difficile.
- Football : Vous aurez besoin d'autrui pour finir votre travail.
- Golf : Situation ennuyeux.
- Golf miniature : Vous aurez besoin de changer d'air.
- Gymnastique : Bonne alimentation, santé.
- Haltérophilie : La grosseur ne fait pas la force.
- Handball : Solitude, désespoir.
- Hockey : Aventure sexuelle rapide, mais divertissante.
- Jogging : Bonne santé mentale.
- Lancer du disque : Ne lâchez pas vous devriez atteindre votre but bientôt.
- Lancer du javelot : Obtention de

faveur avantageuse, argent.
- Motoneige : Liberté d'expression.
- Nage synchronisée : Travail de précision.
- Natation : Vous atteindrez vos objectifs.
- Parachute : Projets dangereux mais profitables.
- Patin à glace ou à roulettes : Désordre, perte.
- Patinage de vitesse ou artistique : Combattez et vous vaincrez.
- Pêche : Évolution dans votre vie amoureuse.
- Pétanque : Travail ennuyeux et facile.
- Ping-pong : Vous êtes fait pour vaincre.
- Planche à voile : Évitez les dangers en voyage.
- Plongeon : Vos émotions vous mettront dans l'inquiétude.
- Polo : Vous deviendrez très puissant.
- Quille : Vous travaillez pour rien.
- Rafting : Distraction excitante.
- Raquette : Soucis et tracas.
- Saut en longueur et en hauteur : Grande réussite en tout.
- Ski alpin ou de fond : Vous aurez de mauvaises pensées.
- Ski nautique : Vous tomberez dans une situation embarrassante.
- Soccer : Vous aurez de nouveaux objectifs.
- Softball : Ne soyez pas si rancunier.
- Tennis : Infidélité, tromperie.
- Tir à l'arc : Vous prenez plaisir à démolir vos adversaires.
- Volley-ball : Le commérage vous embarrassera.
- Water polo : Voyage décommandé au dernier moment.

SQUELETTE :
- En voir un : Insatisfaction, misère.
- En trouver un : La vérité surgira.

STAR :
Voir Vedette.

STATUE :
- En voir une : Bonheur et amitié.
- Se voir en statue : Vous méritez la gloire.

STORE :
- Verticaux : Avancez lentement mais sûrement.
- Horizontaux : Démarche inutile.

STYLISTE :
Voir Travail.

STYLO :
- En voir un : Rencontre élégante.
- En utiliser un : Bonne instruction.
- Ne pas pouvoir l'utiliser : Difficulté à s'exprimer.

SUCCÈS :
- En avoir : Encouragement à terminer ce que vous avez commencé.

SUCER :
- Son pouce : Sentiment de bien-être.

SUEUR :
- Guérison rapide.

SUICIDE :
- Se suicider ou vouloir le faire : Situation difficile à passer.
- Voir quelqu'un se suicider : Pensez à ceux qui vous aiment.

SUPÉRIEUR :
- En avoir un : Vous recevrez la morale d'un parent.
- En être un : Ne vous prenez pas pour quelqu'un d'autre, ce n'est qu'un emploi.

SUPERMARCHÉ :
- Économie, budget bien géré.

SUPERSTITION :
- Vous avez trop de remords de conscience.

SUPERVISEUR :
Voir Travail.

SURDITÉ :
Voir Sourd.

SURPRISE :
- En avoir une : Soyez vigilant.
- En faire une : Changement d'opinion.

SURVEILLANCE :
- Être surveillé : Mise en garde, soyez prudent.
- Surveiller quelqu'un : Votre prudence vous sauvera.

SYNTHÉTISEUR :
Voir Musique.

SYPHILIS :
- La contracter : Prenez vos moyens de contraception.

- La transmettre : Proposition choquante.

Voir Alphabet.

TABAC :
- En voir ou en fumer : Satisfaction intérieure.
- En chiquer : Deuil, tristesse.

TABLE :
- En voir une : Rencontre plaisante.
- Brisée ou renversée : Misère, tracas.
- Ronde : Personnalité compliquée.
- Embarrassée ou pleine de nourriture : Situation honteuse en public.

TABLEAU :
- En voir un : Meilleure compréhension.
- En acheter ou en vendre un : Vous ferez un faux pas.
- Beau : Estime de soi.
- Laid et cassé : Malheur, contrariété.

TABLIER :
Voir Vêtements.

TABOURET :
- Grâce à votre bonne position vous réussirez.

TACHE :
- En voir ou en avoir une sur soi : Souvenir honteux.
- En faire une : Erreur irréparable.
- En nettoyer une : Liberté, aisance.

TAILLEUR :
Voir Travail.

TALON :
Voir Anatomie.

TAMBOUR :
Voir Musique.

TAM-TAM :
Voir Musique.

TANGO :
- Le danser : Petite faute.
- Voir quelqu'un le danser : Aucunes représailles.

TANK :
- En voir un : Ennemi redoutable.
- En conduire un : Vous gagnerez la bataille.

TANTE :
- Voir sa tante : Cadeau apprécié.
- En être une : Querelle familiale.

TAPAGE :
- En faire : Grand besoin de défoulement.
- En entendre : Vie mouvementée.

TAPIS :
- En voir : Confort au foyer.
- Épais ou gros : Richesse abondante.
- Mince ou petit : Petit revenu.
- Sale ou déchiré : Chagrin, peine.
- En poser ou le voir roulé : Travail à la maison.

TAPISSERIE :
- En voir ou en poser : Succès en amour et en affaires.

TAQUINER :
- Taquiner quelqu'un : Soyez un peu plus réaliste.
- Se faire taquiner : Arrêtez de perdre votre temps.

TAROT :
- Signifie un énorme changement dans votre vie dont vous devriez être prévenu.

TASSE :
- En voir ou s'en servir : Visite réconfortante.
- Pleine : Ménagez vos sentiments.
- Vide : Amour sensuel.

TATOUAGE :
- Se faire tatouer ou en avoir un : Vous surprendrez un escroc.
- En voir un ou tatouer quelqu'un : Mauvaise décision.

TATOUEUR :
Voir Travail.

TAUPE :
Voir Animaux.

TAUREAU :
Voir Animaux.

TAVERNE :
- En voir une : Ne vous laissez pas entraîner si facilement.

TAXE :
- Difficulté d'adaptation.

TAXI :
Voir Transports.

TECHNICIEN :
Voir Travail.

TEINDRE :
- Se teindre ou être teint : Du changement vous ferait le plus grand bien.
- Teindre ou voir quelqu'un teint : Réussite trompeuse.

TÉLÉGRAMME :
- En voir ou en recevoir un : Lettre concernant le travail.
- En envoyer un : Réponse très attendue.

TÉLÉPATHIE :
- Un ami ou un proche cherche à vous montrer quelque chose sans vous faire un dessin.

TÉLÉPHONE :
- En voir un ou appeler quelqu'un : Faux amis.
- En entendre un sonner : On cherche à vous contacter.
- Parler ou répondre au téléphone : Secrets divulgués.
- Raccrocher le téléphone : Nouvelle intéressante.
- Faire un mauvais numéro : Mauvais choix.

TÉLÉPHONISTE :
Voir Travail.

TÉLESCOPE :
- En voir un : Garder l'œil sur vos rivaux.
- En utiliser un : Penchez-vous sur votre sort.

TÉLÉVISION :
- En voir une : Bon jugement.
- Éteinte ou brouillée : Ne vous prenez pas pour un autre.
- Passer à la télévision : Votre persévérance vous réussira.

TÉMOIGNAGE :
- En faire un : Ennemi en affaires.
- En entendre un : Travail inutile.
- Faire un faux témoignage : On vous donnera raison.

TÉMOIN :
- En être un : Perte de sentiments.
- En voir un : Pensez avant d'agir.

TEMPÊTE :
- En voir une ou y assister : Le goût du risque changera votre vie.

TEMPLE :
- En voir un : Joie spontanée.

TEMPS :
- Beau : Chance et profit.
- Mauvais : Désagrément, querelle.

TENNIS :
Voir Sports et loisirs.

TENTE :
- En voir ou en monter une : Une bonne idée vous procurera des

avantages.

TERMINUS :
- Fin d'un amour ou d'une affaire.

TERMITE :
Voir Insectes et reptiles.

TERRASSE :
- En voir une : Temps idéal pour vos projets.
- Y être : Vous vous débarrasserez d'un problème.

TERRE, TERRAIN :
- En voir ou en avoir un(e) : Développement de la personnalité.
- En acheter ou en vendre un(e) : Projet très payant.
- Embrasser la terre : Situation critique.
- Terre noire : Lutte acharnée.

TERREUR :
- Difficulté à oublier un souvenir traumatisant.

TEST :
- Médical : Risque de contagion.
- D'études : Bonne concurrence.
- D'intelligence : Tracas, ennuis.
- De dépistage : Remords de conscience.

TESTAMENT :
- En faire un : Gain, héritage.
- En être héritier : Objectif tant attendu.

TESTICULE :
Voir Anatomie.

TÊTARD :
Voir Poissons.

TÊTE :
Voir Anatomie.

THÉ :
- En voir : La patience est un excellent atout.
- En préparer : Vous êtes peu sociable.
- En boire : Sortie extravagante.

THÉÂTRE :
- En voir un : Exploitez vos talents cachés.
- Y jouer : Fausse identité, échec, tromperie.
- Assister à une représentation : Souvenez-vous de la scène car c'était sûrement votre vie passée ou future.

THÉRAPEUTE :
Voir Travail.

THERMOMÈTRE :
- En voir ou en utiliser un : Défi à relever.
- Brisé : Saute d'humeur.

THON :
Voir Poissons.

THORAX :
Voir Anatomie.

TIBIA :
Voir Anatomie.

TIC :
- En avoir un : Vous êtes envoûté par un désir.

- Voir quelqu'un en avoir un : Aventure passionnante.

TIGRE :
Voir Animaux.

TIMBRE :
- En voir un : Voyage, correspondance.
- En coller un : Nouveaux amis venant de loin.

TIMIDITÉ :
- Être timide : Rassurez-vous, vous êtes aimé.
- Voir quelqu'un de timide : Prouver votre affection.

TIR À L'ARC :
Voir Sports et loisirs.

TIRE-BOUCHON :
- Après avoir emprunté, il vous faudra remettre.

TIRELIRE :
- En voir une : Sachez gérer votre argent.
- En casser une : Perte, dépense inutile.
- Y déposer de l'argent : Bonne économie.

TIROIR :
- Ouvert : Risque de vol.
- Fermé : Bon entretien.
- Vide : Surveillez vos biens.
- Plein : Bonne protection.

TISANE :
- Relaxation, convalescence.

TISSER :
- Victoire profitable sur un adversaire.

TISSEUR :
Voir Travail.

TOILE :
- En peindre une : Dissimulation d'affection.
- En voir une : Réussite, succès.
- Sale ou déchirée : Entreprise en péril.
- D'araignée : Gare au piège.

TOILETTE :
- Allusion à votre sociabilité.

TOIT :
- Être sur un toit : Sortez un peu de l'ordinaire.
- Tomber d'un toit : Malheur prochain.
- Le voir brisé ou le réparer : Petit problème de santé.

TOMATE :
Voir Fruits et légumes.

TOMBE, TOMBEAU :
- En voir ou pénétrer à l'intérieur : Conflit pénible.
- Y être enfermé ou couché : Deuil, tracas.
- Le construire ou en creuser un(e) : Union, naissance.
vLe démolir ou en remplir un(e) : Conflit résolu.
- Y tomber ou sauter par-dessus : Objectif atteint.
- Voir une pierre tombale : Situation changeante

TOMBER :
- Tomber : Conflit, déshonneur.
- Voir quelqu'un tomber : Illusion trahie.

TONNEAU :
- En voir un : Joie, récompense.
- Plein : Plaisir, bien-être.
- Vide : Manque d'espoir.
- De bière ou de vin : Soirée gaie.

TONNERRE :
- L'entendre : Grave bataille.

TOPAZE :
Voir Pierres précieuses.

TORÉADOR :
- En voir un : Attention, vous employez une mauvaise tactique.
- En être un : Goût du risque.

TORSE :
Voir Anatomie.

TORTUE :
Voir Insectes et reptiles.

TORTURE :
- En voir une ou en être victime : Un ami sera en difficulté.
- Torturer quelqu'un : Vous blesserez une personne.
- Chambre de torture : Vous craindrez une vengeance.

TOTEM :
- En voir un : Signifie une rencontre hostile.

TOUPIE :
- Travail ou amour étourdissant.

TOUR :
- En voir une : Mettez de l'ordre dans votre vie.
- En ruine ou qui s'écroule : Honte à laquelle vous ne pouvez échapper.
- Y être renfermé : Taquinerie, bonheur.
- D'ivoire : Grande vitalité.
- Eiffel : Belle personnalité.
- De Pise : Mélancolie.
- Du CN : Travail d'usine.

TOURBILLON :
- Ennuis causés par une femme.

TOURNESOL :
Voir Fleurs.

TOURNEVIS :
- Persévérez et vous trouverez l'amour.

TOURTERELLE :
Voir Oiseaux et volailles.

TOUX :
- L'avoir : Lettre décevante.
- Voir quelqu'un tousser : Incertitude, crainte.

TRACTEUR :
Voir Transports.

TRAHISON :
- Être trahi : Réponse négative.
- Trahir quelqu'un : Vous serez abandonné.

TRAIN :
Voir Transports.

TRAÎNEAU :
- En voir : Soyez plus compréhensif.

- En utiliser un : Amourette d'un soir.

TRAIRE :
- Traire une vache : Travaux payants.
- Voir quelqu'un traire une vache : Perspective d'un avenir meilleur.

TRAITEUR :
Voir Travail.

TRAMWAY :
Voir Transports.

TRANSPORT (moyens de) :

Ce genre de rêve fait peut-être allusion à votre travail, votre détermination à surmonter les difficultés, ainsi qu'à vos projets de vacances, rencontres. Rêver à l'un ou l'autre des véhicules mentionnés ci-dessous vous encourage sans doute à vous concentrer sur un problème spécifique, un aspect de votre personnalité révélant des possibilités que vous n'êtes pas conscient de posséder.

- En voir un : Sortie, divertissement.

- En acheter ou en vendre un : Travail payant.

- Le conduire : Rencontre agréable.

- Avoir ou voir un accident : Fin des tracas.

- Brûlé ou coulé dans l'eau : Projet annulé.

- En construire un : Persévérez et vous vaincrez.

- Le voir voler : Vacances possibles.

- Être en panne ou hors d'usage : Difficulté en affaires.

- Y prendre la place du passager : Voyage ou randonnée.

Transport aérien

- Avion : Le destin vous réserve de très mauvaises surprises.
- Hélicoptère : Affaire sérieuse.
- Hydravion : La ruse est votre point fort.
- Jet : Rapide en affaires.
- Montgolfière : Vous avancez lentement, mais sûrement.
- Planeur : Vous êtes courageux.

Transport maritime

- Bateau : Vie paisible et tranquille.
- Chaloupe et barque : Signe de pauvreté.
- Navire : Profit important.
- Paquebot : Grosse affaire.
- Pédalo : Vacances bien méritées.
- Radeau : Ennuis, tracas.
- Sea-doo : Plaisir, joie.
- Sous-marin : Gros secret.
- Traversier : Lettre, retrouvailles.
- Voilier : Détente passagère.

Transport terrestre

- Ambulance : Deuil, maladie grave.
- Autobus : Routine.
- Auto de course : Vous prendrez de l'avance sur la concurrence.
- Automobile : Réalisation de vos projets.
- Auto patrouille : Signe de culpabilité.
- Bicyclette : Grande habileté, maturité.
- Calèche : Rencontre chaleureuse.
- Camion : Ne vous fiez pas à l'apparence.
- Camion de pompier : Ne provoquez pas l'ennemi.
- Diligence : Voyage raté.
- Fauteuil roulant : Maladie.
- Limousine : Misère, pauvreté.
- Métro : Économie, placement.
- Motocyclette : Risque d'accident grave.
- Motoneige : Rien ne vous échappe.
- Remorqueuse : Il est bon de dépanner, mais il y a une limite.
- Taxi : Randonnée coûteuse.
- Tracteur : Bon travail, bon profit.
- Train : Voyage d'affaires.
- Tramway : Mélancolie profonde.
- Tricycle : Sécurité avant tout.
- Unicycle : Agilité et subtilité.

- Van : Grosse entreprise.

TRAPÈZE :
- En faire : Succès total.
- Voir quelqu'un en faire : Votre franc-parler vous créera des ennuis. En tomber : Le bonheur est fini.

TRAPPE :
Voir Piège.

TRAVAIL : (emplois, métiers, professions)

Rêver d'emplois, de carrières, de métiers, ou de professions est en général le reflet de problèmes personnels. Certes, ces rêves peuvent être des signes importants qu'il convient d'étudier soigneusement. Ils sont presque toujours le signe de changements intervenus ou à venir dans votre vie. Ces rêves fournissent d'excellentes indications sur la façon de résoudre nos problèmes, d'appréhender l'avenir et de satisfaire son besoin de conquérir de nouveaux domaines. Ci-dessous nous avons cru bon de regrouper sous le même nom, emploi, carrière, métier, profession pour celui de travail ; ce terme peut à lui seul évoquer tous ceux cités plus haut, et n'oubliez pas qu'une bonne journée de travail dans le corps aide à bien dormir.

- Trouver un travail : Victoire inattendue.

- Avoir un travail : Réussite en tout.

- Perdre un travail : Perte financière.

- Vouloir un travail : Vie durement gagnée.

- Donner un travail : Générosité, dévouement.

- Dur travail : Héritage, gain.

- Travail facile : Vie stable et ordinaire.

- Manquer à son travail : Trahison de votre part.

- Étudier pour un travail : Vouloir c'est pouvoir.

- Recevoir une offre de travail : On a besoin de vous.

- Voir quelqu'un exercer un travail : Gardez votre sang-froid.

- Acteur : Un ami vous trahira.
- Administrateur : Travail inutile.
- Agent de sécurité : Bataille, querelle.
- Agent immobilier : Joie, réussite.
- Agriculteur : Vous récolterez de l'amour et du succès.
- Animateur : N'essayez pas de vous montrer plus haut que vous êtes.
- Annonceur : Vous êtes très communicatif.
- Antiquaire : Héritage, cadeaux.
- Arbitre : Ne vous fiez pas trop aux autres.
- Archéologue : Oubliez un peu le passé, pensez au futur.
- Architecte : Planifiez votre avenir.
- Arpenteur : Vie heureuse.
- Artisan : Si vous voulez vous faire remarquer, agissez.
- Astrologue : Inquiétude, tourment.
- Astronaute : On ne peut pas tout avoir dans la vie.
- Auteur : Difficulté à affronter le changement.
- Aviateur : Un ami vous veut du bien.
- Avocat : Vous serez trahi et ferez votre propre loi.
- Banquier : Vous êtes financièrement fiable.
- Barbier : On vous aidera à vous en sortir.
- Barman : Vous êtes prêt pour le grand amour.
- Batteur : Vos fantasmes sexuels se réaliseront.
- Bibliothécaire : Folie passagère.
- Bijoutier : Votre force vous nuira.
- Biochimiste : Vous guérirez très vite.
- Biologiste : Vous surmonterez une maladie.
- Boucher : Méfiez-vous de vos ennemis.
- Boulanger : Gain important.
- Boursier : Votre budget est bien géré.

- Braconnier : On en veut à vos biens.
- Brigadier : Courrier inquiétant.
- Caissier : Épargne satisfaisante.
- Camelot : Salaire ridicule pour votre travail.
- Cameraman : Votre curiosité vous causera de sérieux tracas.
- Camionneur : Solitude, ennuis.
- Caricaturiste : Ne riez pas des moins fortunés.
- Cartomancien : Problèmes sans solutions.
- Chanteur : Exprimez-vous un peu plus.
- Charpentier : On est le seul maître de sa vie.
- Chasseur : L'agitation d'une confrontation vous étourdira.
- Chauffeur d'autobus : Petit changement d'orientation.
- Chauffeur de taxi : Changement d'orientation qui vous coûtera cher.
- Chauffeur de train : Gros changement d'orientation.
- Chef d'entreprise : Travail difficile.
- Chef d'orchestre : Gloire méritée.
- Chimiste : Solution aux problèmes.
- Chirurgien : Choix et travail délicats.
- Choriste : On ne vous remarque pas assez.
- Coiffeur : Vous aiderez un de vos amis.
- Comédien : Trahison et perte.
- Commis : Serviable, noble, gentil.
- Comptable : Vous ne savez pas quoi faire de votre argent.

- Concierge : Vous avez certaines obligations à respecter.
- Conseiller : Mettez de l'ordre dans votre vie.
- Constructeur : Gros projet, petit budget.
- Contracteur : Vos secrets seront découverts.
- Contremaître : Vous vous dirigerez dans la mauvaise direction.
- Cordonnier : N'hésitez pas à suivre votre instinct.
- Courseur : Vous allez trop vite en affaires.
- Courtier : Gain, rentrée d'argent.
- Couturier : Préparez bien votre coup.
- Couvreur : Vous vaincrez grâce à votre force intérieure.
- Créancier : Avenir plein de surprises.
- Cuisinier : Vous êtes trop généreux.
- Dactylographe : Signe de prospérité.
- Danseur : Tranquillité après une période très active.
- Décorateur : Vous n'allez plus dans le décor.
- Dégustateur : Mort.
- Déménageur : Prenez des vacances.
- Dentiste : Tromperie, trahison.
- Denturologue : Escroquerie, mensonge.
- Dessinateur : Pourquoi vou-lez-vous vraiment changer votre vie, améliorez-la.
- Détaillant : Vous êtes un peu gratte-sous.
- Diététiste : Vous vous marierez avec une personne obèse.

212

- Directeur : Caractère violent et dominateur.
- Disque-jockey : Amusez-vous si vous le pouvez.
- Docteur : Vous reprendrez vos études.
- Dompteur : Vous ne pouvez pas tout contrôler.
- Ébéniste : Vous perdrez votre fortune.
- Éboueur : Le sale boulot ne vous fait pas peur.
- Échevin : Dure décision à prendre.
- Écologiste : Vous adorez la campagne.
- Écrivain : Idée nouvelle, vie construite d'avance.
- Éditeur : Exploitez vos idées.
- Électricien : Extravagance, on vous remarquera.
- Éleveur : Vous faites de bons parents.
- Emballeur : Ne cachez pas votre vraie nature.
- Embaumeur : Mort dans votre entourage.
- Enseignant : Ne vous pensez pas intouchable.
- Entrepreneur : Vous commencerez de nouveaux projets.
- Épicier : Vous avez beaucoup d'amour à donner.
- Espion : Un de vos amis vous trompe.
- Esthéticienne : Vous n'êtes pas laid, tout le monde a son style.
- Exterminateur : Vous réussirez à vous débarrasser d'un emmerdeur.
- Facteur : Nouvelle inattendue et subite.
- Fermier : Vacances méritées.

- Fleuriste : L'amour vous montera à la tête.
- Garagiste : Facilité à réparer.
- Gardien : Vous êtes un peu trouillard.
- Génécologue : Vous aimez tout le monde.
- Graveur : On vous estime.
- Guitariste : Vous avez beaucoup de fantasmes sexuels.
- Humoriste : Votre humour est parfois déplaisant.
- Hypnotiseur : Vous avez beaucoup d'influence.
- Hygiéniste : Propreté avant tout.
- Illusionniste : Ne vous faites pas d'illusions.
- Imprimeur : Vous menez votre vie intelligemment.
- Infirmier : Problème de santé.
- Ingénieur : Vous bâtirez votre propre avenir.
- Inspecteur : Dette dure à réclamer.
- Investigateur : Vous prendrez une décision difficile.
- Inventeur : Vous ne vous croyez pas né dans le bon temps.
- Jardiner : Vous récoltez ce que vous semez.
- Joaillier : Contrôlez vos émotions.
- Jongleur : Habileté, précision.
- Journalier : Perte de santé ou de fortune.
- Journaliste : Vous sauverez un de vos amis.
- Juge : Vous choisirez la mauvaise voie.
- Laboureur : Symbole purement sexuel.
- Laitier : Vous comptez beaucoup pour votre famille.

- Libraire : Diplôme, graduation, honneur.
- Livreur : Vous êtes très serviable, mais vous avez une bonne raison.
- Lunetier : Attention aux voleurs.
- Magicien : Vous êtes un escroc.
- Mannequin : Trahison, illusion perdue.
- Maquilleur : Rien ne sert de se cacher, ce qui est fait est fait.
- Marchand : Promesse d'argent.
- Marin : Voyage long et ennuyeux.
- Masseur : Vous réparerez vos erreurs.
- Mécanicien : C'est le temps de réparer vos fautes.
- Médecin : Une aide ne serait pas de refus.
- Menuisier : Vous êtes doté d'une imagination extraordinaire.
- Modéliste : Quand donc parviendrez-vous à ne plus commettre les mêmes fautes ?
- Moniteur : Ne pensez pas tout savoir.
- Musicien : Vie agréable et stable.
- Nettoyeur : Vous aurez de la visite.
- Notaire : Exprimez-vous plus directement.
- Opticien : Ouvrez les yeux, on se sert de vous.
- Pâtissier : Il n'y a pas de mal à se faire du bien.
- Paysagiste : Vos biens matériels vous tiennent à cœur.
- Pêcheur : Travail plaisant et payant.
- Pédiatre : La famille vous tient à cœur.
- Peintre : Vos espérances se réaliseront plus tard.
- Pharmacien : Votre peur d'être malade vous inquiétera.
- Photographe : Amour, mariage, union.
- Pianiste : Perte de temps inutile.
- Pilote : Symbole de puissance et de liberté.
- Plâtrier : L'amour n'est pas mort.
- Plombier : Vous ne pouvez pas compter sur personne.
- Plongeur : Bonheur mêlé de larmes.
- Policier : Vie difficile à cause de gens malhonnêtes.
- Politicien : Ne rêvez pas, vous ne pouvez pas changer le monde.
- Pompier : Vous craignez vos problèmes.
- Pompiste : N'ayez pas peur de vous salir les mains.
- Porteur : Vous êtes fiable et honnête.
- Portier : Ce n'est pas bon d'être trop curieux.
- Préposé : Vous regrettez énormément un geste que vous avez fait.
- Président : Votre esprit dominateur vous blessera.
- Prêtre : Tendance sexuelle différente.
- Professeur : Intelligence, force intérieure.
- Psychiatre : Il serait peut-être bon d'en voir un.
- Quincaillier : Vous avez les outils en main, alors agissez.
- Réceptionniste : Ne vous montrez pas si autoritaire.

214

- Recherchiste : Vous serez incapable de finir un discours commencé.
- Rembourreur : L'amour ne s'achète pas.
- Restaurateur : Gros profit facilement gagné.
- Sculpteur : Un grand succès vous attend.
- Secrétaire : Vous contrôlez tout.
- Serrurier : Vous êtes toujours le bienvenu.
- Serveur : On profite de vous et vous le savez.
- Sexologue : Le sexe vous monte à la tête.
- Soudeur : Quand vous aimez, c'est pour la vie.
- Styliste : Il serait peut-être temps de changer de style.
- Superviseur : Occupez-vous bien des enfants.
- Tailleur : Succès en amour grâce à vos mensonges.
- Tatoueur : Grand besoin de vous faire remarquer.
- Technicien : Vous avez le pouvoir de programmer votre vie.
- Téléphoniste : Ne changez pas votre image pour rien.
- Thérapeute : Vous aurez besoin d'aide professionnelle.
- Tisseur : Recommencez votre vie à neuf.
- Traiteur : Divorce, séparation.
- Travailleur social : Difficulté avec vos enfants ou avec ceux d'autrui.
- Vendeur : L'argent n'est pas la cause de votre bonheur.
- Vétérinaire : Vous devriez avoir un animal de compagnie.
- Violoniste : Vous êtes très sentimental.
- Vitrier : On connaît tous vos secrets.
- Zoologiste : Si vous l'aimez laissez-lui sa liberté.

TRAVAILLEUR SOCIAL :
Voir Travail.

TRAVERSIER :
Voir Transports.

TRÉBUCHER :
- Petit obstacle à surmonter.

TRÈFLE :
- À quatre feuilles : Chance en amour.
- À trois feuilles : Ne désespérez pas.
- Fané : Le bonheur n'est pas pour demain.

TREMBLEMENT DE TERRE :
- En voir un : Annonce une catastrophe.
- En sentir un : Grave accident ou maladie.

TRÉSOR :
- En voir un : Tromperie, attention aux menteurs.
- En chercher un : Espoir déçu.
- En perdre un : Amour perdu.
- En trouver un : Perte immobilière.
- En cacher un : Vous serez trompé par votre meilleur ami.

TRESSE :
- Laissez votre opinion et suivez les autres.

TRIANGLE :
Voir Musique.

TRIBU :
- En voir une : Vous refuserez une proposition.
- En faire partie : Mauvaise fréquentation.

TRIBUNAL :
- En voir un : Vous serez jugé sévèrement.
- Y être jugé : Méfiez-vous des imposteurs qui jugent à tort.
- Y juger quelqu'un : Vous aiderez un ami en vous attirant des ennuis.

TRICHERIE :
- Tricher : Vie dure et longue.
- Surprendre ou voir un tricheur : Injustice contre vous.

TRICOT :
- Tricoter : Vous vous entêtez pour rien.
- Voir quelqu'un tricoter : Situation difficile.

TRICYCLE :
Voir Transports.

TRISTESSE :
- Être triste : Vous aurez le pouvoir
- Voir quelqu'un être triste : Manque de tact.
- Rendre quelqu'un triste : Amélioration de votre situation.

TROIS :
Voir Nombres.

TROMBONE :
Voir Musique.

TROMPE :
Voir Anatomie.

TROMPETTE :
Voir Musique.

TRONC :
- En voir un : Biens loyalement acquis.

TRÔNE :
- En voir un : Avec joie, vous ferez des adieux.
- Voir quelqu'un sur le trône : Bonne protection, graduation.
- Être sur le trône : Vous avez tout et vous ne savez quoi en faire.

TROTTOIR :
- Restez discret serait bon pour vous.

TROU :
- En voir un : Avertissement, mise en garde.
- En faire un : Vous déjouerez l'adversité.
- Y tomber : Inquiétude, tourments.
- En sortir : Réussite bien méritée.
- Très profond : Grave danger auquel vous n'échapperez pas.

TROUPEAU :
- En voir un : Obligation mal respectée.
- Le garder : Succès difficile.

TRUELLE :
- En voir une ou s'en servir : Effort récompensé

TRUITE :
Voir Poissons.

TUER :
- Être tué : Satisfaction personnelle, aisance.
- Tuer quelqu'un : Chagrin, solitude.

TUILE :
- En voir ou en poser : Réconciliation non souhaitée.
- Cassée ou décollée : Trop d'orgueil vous nuira.

TULIPE :
Voir Fleurs.

TUNNEL :
- En voir un : Plaisir jusqu'aux
petites heures du matin.
- En traverser un : L'année n'est
pas bonne pour vous.

TUQUE :
Voir Vêtements.

TURQUOISE :
- Voir Couleurs ou pierres précieuses.

TUTEUR :
- Un proche vous sortira du pétrin.

TUTU :
Voir Vêtements.

TUYAU :
- En voir un : C'est grâce à votre
persévérance que vous viendrez à
bout d'une difficulté.

Voir Alphabet.

ULCÈRE :
- Signe de défaite ou problème
chronique.

UN :
Voir nombres.

UNICYCLE :
Voir Transports.

UNIFORME :
- En voir ou en porter un : Vous
vous conformerez à certains
règlements.
- Avec un insigne ou une décora-
tion : Honneur ou augmentation
de salaire.
- En enlever un : Difficulté à suivre le règlement.

UNIVERS :
- Le voir : Longue attente pour
un projet.

UNIVERSITÉ :
- En voir une : Manque d'expérience.
- Y étudier : Votre enfance et vos
anciens amis vous manquent.

URINE :
- Signifie généralement que vous
auriez dû aller aux toilettes avant
de vous coucher, mais cela pourrait aussi signifier une situation
difficile.

USINE :
- En voir une ou y travailler : Vous êtes un bon travailleur.
- Abandonnée : Perte et tristesse.
- En diriger une : Lourde charge qu'il vous faut mener à terme.

USTENSILE :
- Généralement, annonce de bonté et de compréhension.

UTÉRUS :
Voir Anatomie.

Voir Alphabet.

VACANCES :
- En prendre : Ne fuyez pas vos obligations.
- En planifier : Repos bien mérité.

VACARME :
- En faire : Personne ne vous comprend.
- En entendre : Vie mouvementée.

VACCINATION :
- Signifie qu'un danger vous guette, protégez-vous.

VACHE :
Voir Animaux.

VAGABOND :
- En voir un : Mauvaise fréquentation.
- En être un : Trop de dépenses folles.

VAGIN :
Voir Anatomie.

VAGUE :
- En voir une : Obstacles très difficiles que vous surmonterez.

VAISSEAU :
- En voir ou en piloter un : Ne vous lancez pas dans une entreprise sans expérience.

VAISSELLE :
- En voir : Dignité, volupté.
- En argent ou en or : Misère, rupture.
- Cassée : Après les ennuis viendra la chance.
- Sale : Problème familier.
- En laver : Bonheur conjugal.

VALET :
- En voir un : Attention aux gens malhonnêtes.
- En être un : On vous mènera par le bout du nez.

VALISE :
- En voir une : Voyage assuré.
- Pleine : Voyage enrichissant.
- Vide : Voyage ennuyeux.

VALLÉE :
- Nouvelle intéressante qui mettra un peu de piquant dans votre vie.

VALSE :
- En danser une : Réconciliation en amour.
- Voir quelqu'un en danser une : Changement d'orientation.

VAMPIRE :
- En voir un : Union dangereuse.
- En être un : Vous êtes dangereux pour votre entourage.

VAN :
Voir Transports.

VANDALISME :
- Quelqu'un brisera un des objets personnels auxquels vous teniez énormément.

VANILLE :
- Lettre adorable.

VANTARD :
- Se vanter : Quelqu'un parle souvent de vous.
- Entendre quelqu'un se vanter : Il vaut mieux agir que dire.

VAPEUR :
- En voir ou en respirer : Travail inutile.

VASE :
- En voir un : Vous ne serez plus seul.
- Plein : Union, accord.
- Vide : Tout le monde sait que vous jouez le jeu.
- Brisé : Mariage sans espoir.

VASELINE :
- Vous aurez de la difficulté à faire accepter un projet.

VAUTOUR :
Voir Oiseaux et volailles.

VEDETTE :
- Vous êtes beaucoup mieux à votre naturel.

VÉGÉTARIEN :
- En voir un : Surveillez votre alimentation.
- En être un : Privation, refus.

VEILLEUSE :
- Allumée : N'ayez crainte, vous êtes protégé.
- Éteinte : Abandon, solitude.

VEINE :
Voir Anatomie.

VÉLODROME :
- Vous vous mettrez en compétition avec quelqu'un.

VELOURS :
- En voir ou en porter : Bonne situation.

VENDEUR :
Voir Travail.

VENDREDI :
Voir Jours et mois.

VÉNÉRER :
- L'être : Estime, honneur, prestige.
- Vénérer quelqu'un : Craignez les imposteurs.

VENGEANCE :
- Se venger : Vous avez mauvais caractère.
- En subir une : Un jour ou l'autre, il vous faudra payer pour vos erreurs.

VENT :
- Dans la vie, il y a toujours des hauts et des bas.

VENTE :
- En faire une : Faillite, perte.
- Y assister : Augmentation de vos biens.

VENTRE :
Voir Anatomie.

VENTRILOQUE :
- En voir un : Quelqu'un vous trompe.
- En être un : Vous êtes très influent.

VÉRITÉ :
- Vous avez de bons amis, essayez de les garder.

VERNIS :
- Votre entêtement vous causera du tort.

VERRE :
- En voir un ou s'en servir : Signification positive en général.
- Plein : Abondance, gain.
- Vide : Avortement, fausse couche.
- Sale : Chicane de ménage.
- Brisé : Chance de courte durée, profitez-en.

VERRUE :
- En voir une : On vous cache quelque chose.
- En avoir une : Tourment, forte inquiétude.

VERS DE TERRE :
Voir Insectes et reptiles.

VERT :
Voir Couleurs.

VERTÈBRE :
Voir Anatomie.

VERS DE TERRE :
Voir Insectes.

VÉSICULE :
Voir Anatomie.

VESSIE :
Voir Anatomie.

VESTE :
Voir Vêtements.

VESTON :
Voir Vêtements.

VÊTEMENTS :

Souvent en rapport avec l'apparence intérieure et extérieure, c'est sans doute que votre inconscient se penche sur les aspects les plus enfouis de votre personnalité. De plus, vous abordez une phase de développement personnel extrêmement importante, qui vous permettra de faire des découvertes sur vous-même.

- En voir : Accord profitable.

- En porter ou en mettre : Problèmes familiaux.

- En enlever ou en jeter : Fin d'une entente.

- Beau et propre : Prospérité, sincérité.

- Laid, sale, usé ou déchiré :

Humiliation, tracas.

- À l'envers : Surprise inattendue.

- Brûlé ou mouillé : Vengeance cruelle.

- En acheter : Nouveau style de vie.

- En vendre : Petite entreprise payante.

- Bas (chaussettes) : Vie modeste.
- Bas-culotte : Désir sexuel exagéré.
- Béret : Problème avec la justice.
- Bermudas : Vacances agréables.
- Bikinis : Exhibition exagérée.
- Blouse : Amour, bonheur.
- Boxer (caleçon) : Bien-être.
- Cache-oreille : Parfois il vaut mieux faire semblant d'ignorer.
- Cagoule : Intention malhonnête.
- Camisole : Aisance, confort.
- Casquette : Vous serez déçu de vous-même.
- Ceinture : Heureux en amour.

- Chandail : Méfiance, embarras.
- Chemise : Soirée intéressante.
- Chemisier : Preuve d'affection.
- Collet roulé : Dignité, honneur.
- Combinaison : Pauvre mais honnête.
- Corset : Union inutile.
- Cravate : On ne s'intéresse pas à votre apparence, mais à vous-même.

- Culotte courte : Vous vous sentirez bien dans votre peau.
- Écharpe : Sensibilité.
- Fines lingeries : Délicatesse, fantasme sexuel.
- Foulard : Vous êtes très sensible.
- Gant : Vous êtes très rusé.
- Habit (toxédo) : Mariage, fiançailles.
- Imperméable : Soyez prudent.
- Jambière : Manque de protection.
- Jaquette : Aisance, confort.
- Jeans : Vous êtes fort.
- Jupe : Plaisir extravagant.
- Jupon : Courtoisie.
- Maillot de bain : Vous ferez du sport prochainement.
- Manteau : Température sous la normale.
- Mitaine : Protection assurée.
- Pantalon : Vous ne pouvez superviser tout le monde.
- Poncho : Voyage outre-mer.
- Porte-jarretelle : Fantaisie érotique.
- Pyjamas : Repos bien mérité.
- Robe : Invitation galante.
- Salopette : Besoin de support.
- Sous-vêtement : Secret caché.
- Soutien-gorge : Bon soutien moral.
- Tablier : Protégez-vous.
- Tuque : Attention aux intempéries.
- Tutu : Folie amoureuse.
- Veste : Rencontre amicale.
- Veston : Bavardage, commérage.

VÉTÉRINAIRE :
Voir Travail.

VEUF :
- En voir un : Quelqu'un a besoin de vous.

- L'être ou le devenir : Solitude, abandon

VIBRATION :
- Point de vue sexuel, vous n'êtes pas sur la même longueur d'ondes que votre partenaire.

VICKING :
- En voir un : Surveillez vos biens.
- En être un : Vous êtes déloyal.

VIEILLARD :
- En voir un : Chance multiple.
- En être un : Récompense inespérée.

VIERGE :
- Signe de désir inexploré.

VILAIN :
- L'être : Randonnée ennuyeuse.
- Voir quelqu'un l'être : Rencontre annulée.

VILLAGE, VILLE :
- Si vous voulez vous faire des amis, choisissez les bons.

VIN :
- En voir ou en boire : Maturité, rencontre.
- Blanc : Joie et sagesse.
- Rouge : Querelle et tourment.

VINAIGRE :
- En voir ou en utiliser : Vous aurez beaucoup de peine a atteindre vos objectifs.

VIOL :
- En commettre un : Rancune, souvenir blessant.
- En subir un : On abusera de votre bonté.
- Y assister : Peur de s'exprimer.

VIOLENCE :
- Être violent : Évitez de l'être en réalité.
- Voir quelqu'un l'être : Attaque surprise.

VIOLET :
Voir Couleurs.

VIOLETTE :
Voir Fleurs.

VIOLON :
Voir Musique.

VIOLONCELLE :
Voir Musique.

VIOLONISTE :
Voir Travail.

VIPÈRE :
Voir Insectes et reptiles.

VIS :
- En voir ou en utiliser : Sachez préserver vos biens et votre image.

VISA :
- Faites preuve de loyauté pour réussir.

VISIÈRE :
- Protégez-vous.

VISITE :
- En recevoir une : Propos indiscret.
- En faire une : Plaisir renfermé.

VITESSE :
- Ne vous précipitez pas, faites chaque chose en son temps.

VITRE :
- En voir : Amitié, maturité.
- En casser : Annonce le trouble dans votre entourage.

VITRIER :
Voir Travail.

VŒU :
- Ne vous laissez pas décourager, persévérez.

VOILE :
- En porter un : Défaut difficile à cacher.
- Voir quelqu'un en porter un : On essaie de vous dissimuler des choses.

VOILIER :
Voir Transports.

VOISIN :
- Rumeurs venant d'une personne proche de vous.

VOIX :
- En entendre : Bavardage, rencontre.
- La perdre : Il est parfois mieux de rester muet.
- En avoir une belle : Amour, joie.

- En avoir un désagréable : Querelle, ennuis.

VOLLEY-BALL :
Voir Sports et loisirs.

VOLCAN :
- Exprimez-vous car un beau jour vous exploserez.

VOLER (dans les airs) :
- Se voir voler : But presque impossible à atteindre.
- Voir quelqu'un voler : Soucis, incompréhension.

VOLEUR :
- En voir un ou se faire voler : Un ami vous décevra.
- En être un : Satisfaction en amour.

VOMISSEMENT :
- Vomir : Fin d'un tracas.
- Voir quelqu'un vomir : Rémunération, récompense.

VOTE :
- Quelqu'un attend votre approbation ou votre soutien.

VOYAGE :
- En faire un : Changement de localité ou besoin de repos.
- Avoir son voyage : Les affaires marchent bien.

VOYEUR :
- En voir un : Quelqu'un vous a à l'œil.
- En être un : Désir extravagant.

VUE :
- Bonne : Restez vigilant.
- Affaiblie : Gare aux escrocs.

VULVE :
Voir Anatomie.

Voir Alphabet.

WAGON :
- En marche : Voyage qui vous rapportera beaucoup.
- Arrêté : Vous prenez trop de recul.
- Lit : Aventure d'un soir.
- Restaurant : Vous avez besoin de changement.
- De marchandise : Dépense coûteuse.

WATER-POLO :
Voir Sports et loisirs.

WHISKY :
- Conflit avec un ami.

Voir Alphabet.

XYLOPHONE :
Voir Musique.

Voir Alphabet.

YOGA :
- En faire : Guérison, rétablissement.
- Voir quelqu'un en faire : vous manquez d'exercice.

YOGOURT :
- En voir : Attention à votre santé.
- En manger : Vous tomberez en amour.

YO-YO :
- Y jouer : Plaisir, amusement.
- Voir quelqu'un jouer : La gêne vous empêche de vous amuser.
- Être incapable de jouer : Entêtement, manque de patience.

ZÉBRE :
Voir Animaux.

ZÉRO :
Voir Nombre.

ZIG-ZAG :
- En faire : Vous êtes sur une mauvaise voie.
- Voir quelqu'un en faire : Tracas et inquiétude.

ZINC :
- En voir : vous êtes sur la bonne route.
- En lingots : Succès garanti.

- En feuilles : Investissement non fructueux.

ZIZANIE :
- Le mal que vous aurez fait vous sera rendu.

ZOMBI :
- En voir un : Débarrassez-vous des amis malhonnêtes.
- En être un : certaines personnes vous trouvent ennuyeux.

ZONE :
- Interdite :On vous surveille de loin.
- Changer de zone : Annonce une rencontre amicale.

ZOO :
- Y aller : Difficulté à libérer vos émotions.

Zoologiste :
Voir Travail.

Zoom :
- Vous avez de l'admiration pour l'être aimé.

CONCLUSION

Ce livre est sans contredit l'ouvrage le plus complet se rapportant aux définitions du rêve, et surtout le moins compliqué, car la majorité des manuscrits de ce genre sont généralement trop scientifique, ce qui les rend parfois incompréhensibles. En commençant ce livre, nous nous sommes fixés des objectifs et nous n'avons rien négligé pour arriver à nos fins. Nous avons joint des renseignements, des conseils moraux autant que des conseils pratiques qui seront bons à suivre en tout temps.

Avec ce lexique, vous trouverez approximativement 3000 mots et 8000 définitions. Rêvez à quelque chose et vous trouverez sa référence ainsi que sa définition. Observez plus intensément vos rêves, vous pourriez y découvrir une allusion frappante aux sentiments et aux événements de votre vie actuelle ou future. Mais allez-y graduellement, ne vous hâtez pas trop; autrement dit, ne courez pas après vos rêves, laissez-les venir à vous. Avant de commencer à démasquer vos rêves, il faut vous souvenir de quelques principes.

1- Abstenez-vous de «Rêver votre vie», c'est-à-dire d'être obsédé par les définitions des rêves, d'en voir partout et, à la limite, de les inventer. C'est nécessaire, utile et agréable de rêver, mais devenir rêveur peut être mauvais.

2- Les rêves peuvent parfois cacher des messages qui vous étonneront par leur extravagance. Mais rappelez-vous que les lois morales des hommes n'ont aucune prise sur l'autorité et le sens de la vérité des rêves. Autrement dit, il arrive quelquefois que les rêves produisent des images trompeuses et parfois cela peut même être le résultat d'une mauvaise interprétation.

3- Le souvenir d'un rêve s'oublie vite; alors pour vous les rappeler, prenez l'habitude de les noter pour que les messages vus en rêve puissent faire l'objet d'une bonne interprétation, surtout d'une compréhension plus efficace.

Nous espérons que ce livre vous éclairera sur vos points forts, vos points faibles ainsi que sur votre vie future. Cela pourrait alors vous permettre d'améliorer votre vie actuelle.

REMERCIEMENTS SPÉCIAUX

Dr J. Thivierge M.A., psychologue
Dr Denis Houde, psychologue
Dr Mme Paradis psychologue
Dr M. Baller, psychologue, spécialiste des rêves
Dr Y. St-Pierre, psychologue
Cathy Comeau, aide à la production
Sylvie Mongeau, traitement de texte
José Laplaine, aide
Soyana Laurin
Brandon-Yan Laurin
Ghislaine Guernon
Manon Laurin
Union des écrivains du Québec

À l'occasion de la publication de mon premier livre, je désire rendre un hommage de reconnaissance à mon meilleur ami, José Laplaine, décédé prématurément le 17 juillet 1996. José ne s'est jamais laissé décourager malgré sa maladie. Au contraire, il espérait sans cesse, un avenir meilleur. Malheureusement, cette maladie ne lui a pas fait de cadeaux. Il alutté contre elle de toutes ses forces parce qu'il espérait vivre encore longtemps parmi nous. Il a accepté avec courage les terribles douleurs de la fibrose kystique, malgré le chagrin qu'il ressentait à la pensée de nous quitter bientôt. José, tu vas nous manquer. Attends-nous, prends soin de nous.

B.L.

BIBLIOGRAPHIE

AEPPLI Ernest, *Les rêves et leurs interprétations*, Petite bibliothèque Payot.

BARTON W.G., *Le pouvoir des rêves*, Sélect.

CORRIÈRE R. Dr. - HART J. Dr., *Les maîtres rêveurs*, Sériptomédia.

DE BECKER R., *Interprétez vos rêves*, Paris.

DE BECKER R., *Les machinations de la nuit*, Planète.

DE BECKER R., *Les songes*, Grasset.

DÉSOILLE R., *Théorie et pratique du rêve éveillé dirigé*, Mont-Blanc.

DUVINGNAUD J. - CORBEAU J.P., *La banque des rêves*, Payot.

FREUD S., *L'interprétation des rêves*, Paris Puf,.

KURTH Hanns, *Dictionnaire des rêves*, France Loisirs.

La nouvelle clé des songes, La lanterne d'Hermès, La vingtième artémidore.

LHERMITTE Jean, *Les rêves*, Presses Universitaires de France.

M. ZLOTOWICS, *Les cauchemars de l'enfant*, Presses Universitaires de France.

MESEGUER P., *Le secret des rêves*, Emmanuel Vitte.

MONNERET S., *Le sommeil et les rêves*, CEPL.

PARKER J.D., *Les rêves*, France Loisirs.

Source originale 2, *Les songes et leurs interprétations*, Du Seuil.

STANKÉ Louis, *Interprétez vos rêves*, Les éditions de l'Homme.

STOCKER A. Dr, *Les rêves et les songes*, Oeuvres St-Augustin, St-Maurice.

TEILLARD A., *Ce que disent les rêves*, Stock.

TRUBO R., *Comment s'assurer d'une bonne nuit de sommeil*, Sélect.

VOLGUINE A., *L'interprétation astrologique des rêves*, Dervy.

WARING Philippa, *Dictionnaire des présages et superstitions*, France Loisirs.

WEBB Wilse B., - AGNEW H.W. Jr., *Le sommeil et le rêve*, HRW.

NOTES SUR VOS PROPRES REVES

....

....

....

....

....

....

....

....

....

....

....

....

....

....

....

....

....

....

....

....

....

NOTES SUR VOS PROPRES REVES

....
....
....
....
....
....
....
....
....
....
....
....
....
....
....
....
....
....
....
....
....
....
....
....

NOTES SUR VOS PROPRES REVES

....
....
....
....
....
....
....
....
....
....
....
....
....
....
....
....
....
....
....
....
....
....
....
....
....

NOTES SUR VOS PROPRES REVES

....
....
....
....
....
....
....
....
....
....
....
....
....
....
....
....
....
....
....
....
....
....

OP.400REVES